I WANT TO BE SPOILED BY THE MARQUIS OF ICE!

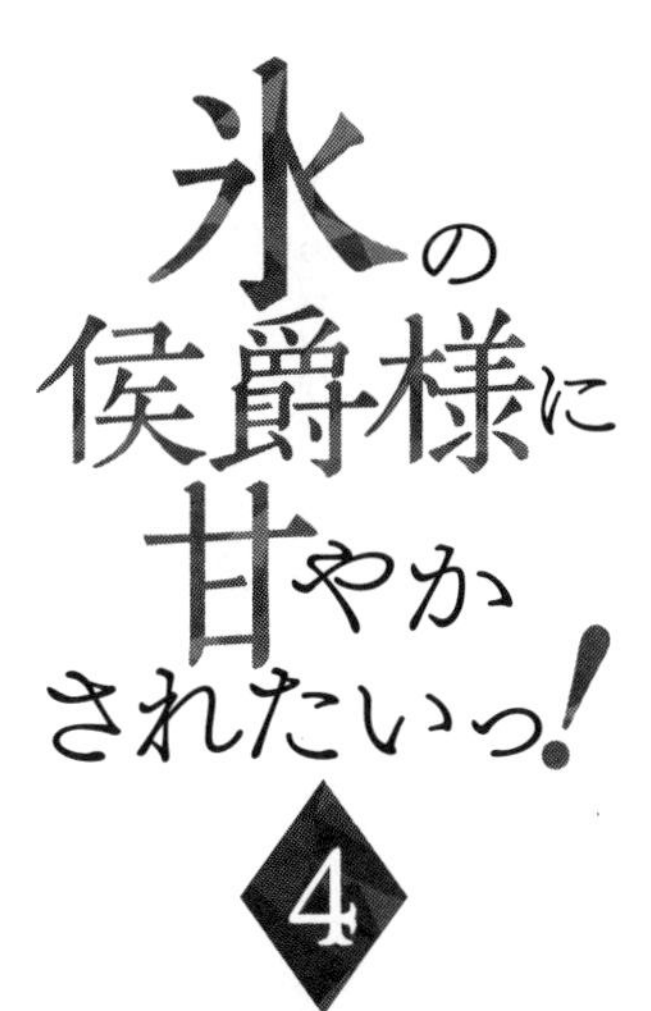

氷の侯爵様に甘やかされたいっ! 4

シリアス展開しかない幼女に転生してしまった私の奮闘記

もちだもちこ
MOCHIDAMOCHIKO

illustration
双葉はづき
FUTABA HAZUKI

TOブックス

CONTENTS

C O N T E N T S

illustration 双葉はづき FUTABA HAZUKI
design ヴェイア Veia

人物紹介
CHARACTERS

アケト
AKHET

ピアン国の王族。亡き兄の子であるユリアーナを気にかけている。

ランベルト
LAMBERT

「氷の侯爵」「フェルザー家の氷魔」などと世間で恐れられている。
血のつながり関係なくユリアーナを溺愛（暴走）している。

ユリアーナ
JULIANA

前世はアラサーのライトノベル作家で現在は美幼女。自作品の世界の不遇キャラに転生し苦戦……すると思いきや、ただ周りから甘やかされ困惑している。

ヨハン
JOHANN

フェルザー家の次期当主であり、ユリアーナの異父兄。
父と同じく妹を溺愛している。

オルフェウス
ORPHEUS

ユリアーナの前世にあるライトノベルの主人公。
冒険者として活動し、高い評価を受けている。
セバスを尊敬している。

ペンドラゴン
PENDRAGON

ユリアーナの魔法の師匠であり、高い能力を持つ宮廷魔法使い。
ランベルトとは旧知の仲。愛妻家で子煩悩。

セバス
SEBAS

フェルザー家の執事であり、影と呼ばれるセバス一族の長。
最近の悩みはランベルトの暴走を止められないこと。

ティア
CHRISTIA

ユリアーナの前世にあるライトノベルのヒロイン（候補）。
高い能力を持つ神官で、フルネーム「クリスティア」と呼ばれることを頑なに拒む。

これまでのおはなし

ライトノベル作家だった私、本田由梨(ほんだゆり)は、なぜか自分の書いた作品と似ている世界に転生していた。よりによってシリアスな展開しかない不遇(ふぐう)の魔法使い「ユリアーナ」という、無口美少女キャラクターに転生してしまう。

ユリアーナは母親が愛人と密通して生まれた「不義の子」だった。そのため父からは疎(うと)まれ、半分血の繋がりがある兄からは愛されず、さらに母は愛人と駆け落ちという最悪な環境下で幼少時代を過ごすことになる。

ところがどっこい（古い）、なぜか敵となるお父様とお兄様からは溺愛(できあい)されているし、お屋敷の人たちやイケオジな魔法の師匠たちからも可愛がられるという夢のような展開に。主人公やヒロインたちの行動も違っていて原作崩壊もいいところだ。

体は幼女で中身はアラサーの私。いったいこれからどうなっちゃうのーっ!?

などと悠長なことを言っていられない。

幼女になって感情のコントロールがうまくいかない私は、お父様の再婚（しなかった）話で暴走するし、釣られてお父様も暴走するしで大騒ぎ。

その流れで精霊界にある『世界の理』に触れたことにより、物語の流れが完全に変わってしまったことを知る。

これならば、きっと優雅なお屋敷ライフを満喫できるはず……と思いきや、今まで放置されていた私に大量の婚約話が持ち上がってしまう。

どうしたものかと迷うより前に、お父様が国の王様まで巻き込んで私の隣国への遊学を決めてしまった。

お屋敷を離れること……何よりもお父様との別れに私の中の幼女が泣き叫んだその時、魔法で姿を若くしたお父様が護衛として同行することになっておりました。本当にありがとうございます。


暑い砂漠の中にあるビアン国へ向かっていた私たちだけど、なぜか到着したのは異常気象のため、大雪に包まれた極寒の北の山だった。

雪のせいで麓の村が食料難になるほどの異常気象の原因は、氷属性の魔法を操るお父様のせいではないかと疑われてしまう。

疑いが晴れるまで牢に入ることとなったお父様を助けるために村を調査する私たちは、本当の原因は「眠っていた竜が目覚めていた」ことだと知る。

なおかつ、お父様を捕らえた理由は、北の山に竜を封印をした竜族たちが『世界の理』に触れた私と関わりを持つための計略だったことが判明。

彼らのやり方に憤慨していたけど、詳しく事情を聞いてみれば、竜が目覚めた理由は私が『世界の理』に干渉したからかも……と気づいてしまう。これはいかん。何とかせねば。

竜のダンジョンをあっちこっち行ったり来たりして、なんとか傷ついた竜と生まれ変わりの伴侶(はんりょ)を助けた私たち。

出会いと別れにしんみりとしたり、なんとも言えない気持ちになったり……北の山ではガッツリと思い出をつくることが出来ましたとさ。

なかなか来ない私を捜しに&迎えに来てくれたアケト叔父(おじ)さんと一緒に、今度こそ私たちは西の砂漠『ビアン国』へと向かうのだった。

1　ちょっと寄り道したい幼女

アケト叔父さんと一緒に行動していた騎士隊長のダニエルさんたちは、報告するため国に帰ることに。

色々と親切にしてくれたから、感謝感謝でございます。

帰るついでに、王宮で仕事がてんてこ舞いだろうマリクさんへ「がんばって！」と伝言を頼んでおいた。お父様の不在が多いから、きっとすごくとてつもなくさぞかしマリクさんには迷惑をかけている気がする。

お父様曰(いわ)く「誰かがいないと成り立たない状況にはしていない」とのことだけど、マリクさんは「真面目で仕事ができる人」っぽいから心配なんだよね。前世の社畜だった友人を思い出すよ……。

そういう人こそ、たくさん背負ってしまいそうじゃないかなぁって思うのです。お父様。

「……王宮にも顔を出すようにする」

「それも伝えておきますね」

渋々といった様子のお父様の発言を、ダニエルさんは苦笑しながら伝言すると快諾(かいだく)してくれた。

本当に、うちの子煩悩(ぼんのう)イケパパがすみません。

こうして私たちは砂漠に（馬車だけど）足を踏み入れることとなる。

砂の海に馬車の車輪は埋まってしまうため船のように組み替えて、聖獣ウコンサコンは鹿のような体で足だけラクダのように変化させていた。器用だね。

ビアン国から来ているアケト叔父さんの隊の馬車も、すっかり砂漠対応になっている。頭に角がある手足の長い大きな蜥蜴が荷を引いていて、この子たちは「砂漠角蜥蜴」という名の生き物らしい。

前の世界でサンドフィッシュと呼ばれているものと同じ名前だけど、大きさも形もぜんぜん違うなぁ……。

荷の部分は馬車の車輪を取っただけなのに、なんかぬるぬる動いていて不思議だ。

聞いてみたら、砂を弾く特殊な魔道具を入れているんだって。迷宮や遺跡で見つかるものだけど、滅多に手に入らないから一部の大富豪しか所持していないそう。

さすが、国一番の資産家である王様の一族だね。

そんな話を聞いていたところ、アケト叔父さんが「出来れば寄りたい所がある」と申し出てきた。

「ほう、塩の街か」

「ベルとうさま、いったことありますか？」

「冒険者時代にな」

砂漠に入ってすぐのところに、北の山脈から集まって出来た川が流れている。

それは湖に繋がっていて、とても素晴らしい景色だという話だ。

「みてみたいです」

「ならば向かおう」

「ははは、承諾してくれて感謝するよ」

相変わらず私に甘いお父様の甘々な対応を、笑って流してくれるアケト叔父さんは大人だね。そして自国にいるはずのお父様がここにいることについて、考えないことにしてくれているっぽい。ありがたい。

頭の上に乗っているモモンガさんは熱心にナッツを食べながらも、ちゃんと話を聞いていたらしい。

「きゅっ？（塩の街に面白いものはないぞ？）」

いいの。綺麗(きれい)な景色を見てみたいの。

ナッツの殻(から)を頭に落とさないでって言おうとしたら、ふわっと薄緑色の精霊がゴミ箱に運んでいるのが見えた。

たぶんセバスさんだと思う。契約している精霊をうまく使っているの、さすがセバスさんだよね。さすセバ。

ビアン国で王宮に入ったら観光できるか分からないし、せっかくだから旅の途中で色々と見てみたいなって思っているのだよ。

馬車が通る道は砂が多くなってきたけど、川沿いは緑もあって涼しい空気が流れている。

窓にピタッとくっつきながら景色を眺めていると、不意に川沿いの緑が途切れて真っ白な地面が見えてきた。

「すごい……ゆきみたい……」

「もうすぐ湖が見えてくるぞ」

そう言って抱き上げてくれるお父様が指差す方向に、真っ青な空と同じくらい真っ青な湖が現れる。

「せいれいかい？」

「きゅきゅっ（色は似ておるがな。だからつまらんと言っただろう）」

よく見ていた景色と似てるからつまらないと言うの、どうかと思うよモモンガさん。

でも湖の周りは砂漠だし、暑いから休憩がてら水遊びしてみたい。

ワクテカしていたら、砂漠でも同じく法衣（ほうえ）を身につけているティアに笑顔で言われた。

「ダメですよ。ここは遊泳禁止です」

「なんで⁉」

「湖は塩の街の管轄（かんかつ）なんだよ。塩田もあるし、水を汚すのは良くないことだとされているんだ」

いつもの格好プラス、頭に布を巻いた姿のオルフェウス君。砂漠仕様もなかなか似合っておりますな。

「まち？　くにじゃないの？」

「特別自治区ってやつだ。お嬢サマの身内が仕入れに寄ったのも、国の管轄じゃないからだと思うぜ」

なるほどねぇ。

何となく釈然（しゃくぜん）としないまま、セバスさんから手渡された日除け用の帽子を身につけて馬車から出る……と思ったらお父様に抱っこされた。なにゆえ？

「砂に足を取られて転ぶだろう」

「こ、ころばないもん！」

思わず言い返した私は渋るお父様を説得(なきおと)し、なんとか自力歩行をさせてもらえることに。

抱っこ癖がついたらどうしてくれる。いやむしろもう癖づいているけれど、文字通り「自立」しないと将来が不安すぎるでしょ。

追い出されない限り、お屋敷生活は続けますが何か!!（とうとつなドヤ顔）

ぽてぽてサクサクと歩いていると、目の前に広がる真っ青な湖の美しさに感嘆のため息が出る。

これはすごい。

前の世界で南の島に行ったことあるけど、それ以上の感動だなぁ。

砂漠が近いのに地面が黄色くないのは塩のせいだろうけど、そのおかげで真っ白な大地と真っ青な湖の対比が素晴らしい。

スマホがあれば写真撮りまくってただろうなぁ。

「ユリア、街も見てみるか？　ここには世界樹(せかいじゅ)の跡地もあるぞ」

なっ⁉　世界樹ですと⁉

2　世界樹的な王道展開を期待する幼女

世界樹。

この世界において世界樹とは……ちょっと待って、何だっけ？

由梨は「世界樹はエルフが守っている御神木のようなもの」みたいな、ふんわりとした設定をしていたはず。

つまり、だ。

「エルフがいるのですね！」

「……ユリアはエルフ族に興味があるのか？」

「いえ、あったことがないので、みてみたいなぁって！」

「……そうか」

一瞬、暑さがやわらいだと思ったら気のせいだったみたい。

砂漠特有の強い日差しに負けそう……なんてことはない。身につけている服には温度調整をする魔法陣がついているのだ。

それでも肌が出ている部分は暑い。セバスさんがすかさず果実水を出してくれるのを、ありがたく飲ませていただく。

オルフェウス君もティアも似たような状態で水筒は持たされているのだけど、セバスさんはいつ水分補給をしているのかしら？　フェルザー家の七不思議のひとつだ。

ちなみにあと六つが何かは知らない。

「きゅきゅぅ（毛玉の体にはこたえる暑さであるなぁ）」

モモンガさんはちゃっかり私の帽子の上で、雪の塊を抱えてのんびり涼んでいる。ちなみに雪は、お父様が北の山で麓の村の雪を精霊界に押し込んだ時のものだ。

精霊界とこちらは時の流れが違うため、押し込んだ時のまま解けていない状態の雪を取り出すことができる。やったね。

「きゅきゅ！（あのまま精霊界に置かれても邪魔なのだ！）」

別にいいじゃない。雪にシロップかけてカキ氷とか、フルーツと混ぜてシャーベットにしたら暑い砂漠の国の生活も快適になるだろうし。

あ、そういえば。

「モモンガさん、エルフのこと、しってる？」

「きゅきゅっ（無論、知っておる。世界樹は精霊界と関わりの深い植物だからな）」

へぇ、そうなんだね。

世界樹といえば、すごく大きな木で、家とか町とかできちゃうイメージだけど……あれ？　さっきお父様「世界樹の跡地」って言ってなかったっけ？

「昔ここには世界樹があった。しかし世界に大きな力が働き、この辺りは海へと沈んでしまったと聞いている」

「ここは、うみだったの？」

お父様を見上げると、心得たとばかりに抱っこされる。

いや、抱っこを求めていたわけじゃないけど……今は話の腰を折らないように黙っておきますよ。

お父様、続き早よ。

「エルフ族は太古の昔より世界樹を守っていたと言われているが、私が聞いたのは彼らが世界樹によって守られ生かされていたという話だ」

お父様は冒険者時代にエルフ族の旅人から、代々受け継がれているという伝承を聞いたそうな。


昔々、世界樹の近くに住んでいたエルフ族は、緑豊かな大地で幸せに暮らしていた。

ある日、世界が大きく動いて世界樹もエルフの住んでた大地も海に沈んでしまった。

ところが世界樹は大きかったため、根もとは沈んでしまっても高い部分にある枝や葉は海の上に出ていた。

エルフたちは世界樹の上で暮らすことにした。いや、そこ以外に住める場所がなかったとも言える。

世界樹の末端の枯れてしまった部分を使って船を造り、大海原に乗り出したエルフたちもいた。

人口が増えると航海に出て、運良く大地を見つけたらそこで暮らすという過酷な人生を送るエルフたちもいた。

海の上での生活が続く中、再び世界は動き出す。

その時代は北に多くの火山があり、溢れたマグマが大地を広げていった。

やがてそれは世界樹に住むエルフたちのところにも届き、ようやく彼らは大地での生活ができるようになっていく。

最後のエルフが大地に降りたその時、世界樹はゆっくりと、まるで眠りにつくかのように倒れたそうな。人のいる住まいを避け、長きにわたりエルフ族を守るという役目を終えたことを誇るかのように。

青々とした葉を持ち、しっかりと大地に根付いていた世界樹の最期は、海の水と潮風にさらされて真っ白になっていたという。


「ふぐぅ……せかいじゅ、やざじいねぇ……ぶぇぇ……」

「泣くなユリア。世界樹なら精霊界で見たから、必要ならば取り寄せよう」

「ぶぉ？」

優しくハンカチで鼻をかませてくれるお父様。あ、おかまいなく……ちーん！

「きゅきゅう（ここの世界樹の若木を持って海を渡ったエルフがおってな。気まぐれな精霊が、そのエルフの願いを受けて精霊界に持ち込んでいたからな）」

「よかったー」

「しかし海だったこの大地は塩や石灰が多く、山から流れてくる水も湖も塩水だった。世界樹で暮らしていた時に塩水を飲み水に変える技術を持っていたエルフ族だが、さすがにそれだけでは生きられん。それを世界樹が補っているのだ。昔だけじゃなく今もな」

「いまも？」

「それはエルフ族の街に行ったら分かるが……」

「いきましょう、ベルとうさま！」

すっかり世界樹さんに感情移入してしまった私は、お父様の厚い胸板をぺちぺち叩いて急かすのだった。


湖から街まで（大人の足で）歩いて半刻ほどかかるとのことで、再び馬車へと戻る。アケト叔父さんたちは先に街で仕入れをしているとのこと。

「ユリちゃんのことを気にしていたようですけど、先に街に行かれるなんて何かあったのでしょうか？」

「商隊の奴らが話していたが、しばらく塩の流通が止まってたらしいぞ」

「だから早く仕入れたくて先に街へ行ったということですか？」

「それだけじゃないと思うけどな」

そう言ったオルフェウス君は、ティアに向けていた視線をセバスさんへと移す。

「情報収集の腕は、まだまだといったところでしょうか。ですが、今回は及第点としましょう」

「……これ以上は無理だったんだよ」

「だから及第点なのですよ。これはエルフ族の秘術に関わることですから、正攻法だけでは難しいと思いますよ」

そう言ってセバスさんは口元に人差し指を当てて「どこから情報を得たのかは秘密です」と微笑んでみせるのだった。

3　秘術に浪漫を感じる幼女

「エルフの、ひじゅつ！」

「おや、お嬢様はエルフの秘術にご興味がおありでしたか？」

もちろん、おありですよ！

この世界は魔法や魔術とかあるけれど、秘術というのは聞いたことがないので気になります！

しっかり話を聞きたくなった私を察してくれたのか、お茶の準備をしてくれるセバスさん。長くなりそうなので、今回はオルフェウス君とティアも一緒にティータイムをしてもらうよ。

モモンガさんはエルフに興味がないのか、私の膝の上で丸くなって寝ている。

「旦那様の許可が下りれば、お教えできるのですが……」

さらっと爆弾発言をしたかと思えば、あっさりとお父様に決定権を委ねるセバスさん。

ハハァーン、なるほどね。

「ベルとうさま、おねがいします」

「……まったく、セバスも弟子には甘い」

それを言うお父様こそ甘やかし常習犯では？　と、馬車内にいる全員が思っているだろう。

だがしかし、私を含め皆さん大人だから黙っているのだよ。やれやれでございます。

「ユリアが求めるなら応じよ」

ほらね。やっぱりお父様は私に甘い。

しょうがないので、成人するまではしっかりドップリと甘やかしてもらおうじゃないか。

「塩の街を興したのはエルフ族です。彼らは独自の秘術で様々なものを作っておりました。海水を飲めるように出来たのもそのひとつです」

すると、オルフェウス君が学校の授業のように「はい！　師匠！」と手をあげる。

「そういや海の上で暮らしていた頃のエルフ族は、どうやって身を守っていたんだ？　魔獣の対策が必要だっただろ？」

「良い所に気づきましたね。そう、海には地上にある深い森や山奥にいるような、凶暴な魔獣が多く生息しております。エルフ族はそれを除ける秘術があったということです」

それが今回の塩の流通と、どう関係があるのだろう？

首を傾げる私に、セバスさんはさりげなくお茶のお代わりを淹れてくれる。

「ところで、ビアン国の名産品に『ビアンの花』と呼ばれる希少な石があるのはご存じですか？」

「しってる！　まじゅうよけになるって、おべんきょうしたよ」

「ああ、俺ら冒険者にとっても必須アイテムだな。特に砂漠では絶対に必要なものだ」

「その原料がエルフの秘術によるものだとしたら……どう思いますか？」

「まさか……教会では『自然由来のものだ』と教えられていましたが……」

顔色を青くするティアに向けて、セバスさんは安心させるような微笑みを浮かべてみせる。

「ええ、大丈夫ですよ。エルフの秘術と自然の力によって発生するものですから、表に出ている情報も間違ってはおりません」

それを聞いたティアの頬（ほほ）に赤みが戻ってきてホッとする。ちょっと赤すぎる気もするけど……。

「確かに秘術だったら表に出せないよな。大量に作れって言われるだろうし」

「問題はそれだけではないのです。『ビアンの花』に使われる秘術の原材料は、世界樹なのですよ」

ちょっと待って。さっきお父様が世界樹はもう倒れてしまったって……。

ということは、だ。

「せかいじゅ、なくなっちゃうの？」

「ご名答でございます」

そっか。アケト叔父さんが仕入れの交渉を急いでいたのは、塩の流通が止まっていたからじゃない。

魔獣除けになる『ビアンの花』が採れなくなってしまうのを、どうにかしたかったからだ。

「砂漠の中心にある特別区域に、エルフの秘術で作った種をまくと『ビアンの花』が採れると聞いております」

「確かに、砂漠を旅する者たちにとって『ビアンの花』が採れなくなるのは死活問題だな」

「ほかのもので、かわりにならないの？」

私たちみたいに魔法陣とかで結界を作ったりとか……。

「魔法が使えるのは一部の人間だけだ。誰でも持っているだけで魔獣が除けられるのならば、金がかかっても欲しいものだろ」

「それに、この辺りには砂漠特有の厄介な魔獣がおります。『ビアンの花』は特に砂漠の魔獣に有効なのです」

各々の地域には、その場所特有の魔獣がいるものだ。

さらに言うと、だいたい厄介なものとされている。特に属性特化の魔獣とかね。

「というわけでございまして、ここでの話は皆様の胸にしまっておいていただけると助かります。どうかフェルザー家の仕事を増やさないでくださいね」

おお、微笑んでいるセバスさんの目がまったく笑っていない。怖い怖い。

オルフェウス君はともかく、ティアは完全に巻き込まれた流れだったと思うけど……。

「ユリアーナお嬢様やティア様はともかく、ただただ不肖の弟子が心配です」

「そりゃないだろ師匠ぉ……」

がっくりと項垂れるオルフェウス君を見て、ついつい笑ってしまうのでした。

塩の街は「塩」というだけあって、真っ白な建物が多く並んでいる。

そう言ったらティアが塩だけじゃなく石灰の白さもあるって教えてくれた。

エルフさんたち白色大好きっこじゃんって思ってたら違っていたね。安直な設定だなぁとか思っ

てごめんよ……。（自分へ向けての盛大なブーメラン）

砂漠特有の砂地から固い地面に変化してきたため、ウコンとサコンはラクダモードから普通の馬になりました。蹄がカッポカッポ鳴るよー。

街が近くなってから御者台にはオルフェウス君がいて、馬車の中も「普通より少し広め」にしている。

「あまり大きな魔法は使わないようにな。エルフたちは魔力の流れに敏感だ」

「はい、ベルとうさま」

魔力に敏感って、やっぱりエルフの神秘とかなのかしら？

「奴らは耳がいい」

え、魔力を音で拾ってるの？　なにそれ面白そう。

「きゅきゅっ（我らのように魔力が視える者と聴こえる者の違いというものであろうな）」

相変わらず膝の上で丸くなって寝ているモモンガさんだけど、私の疑問には的確に答えてくれる。

でも、最近のモモンガさんは食っちゃ寝が多い気がするのよね……。

「きゅっ！（そういうお年頃だっ！）」

なるほど老化現象……。

「きゅきゅっ！（我はまだ若いっ！）」

年寄り扱いするなって怒るご老体みたいに言うやん……。

4　規模の大きさに驚く幼女

エルフ族とは竜族に次ぐ長命の種族だ。

妖精族とも呼ばれていて、細身で美形が多く耳が長いのが特徴だ。一定の年齢から外見が変化しないのも、妖精族には多く見られるものだ。

「しかし、若者の多くは塩の街から都会に出てしまい、我らのような年寄りばかりになってしまいました」

「へー、そうなんだー」

悲しげに目を伏せる麗しき美青年に、私は幼女らしく無邪気に頷いてみせる。

街に着いた私たちは、さっそく世界樹の跡地とやらに行こうと馬車を預ける場所を探していたら、親切そうな街の人に声をかけられた。

びっくりするくらい外に出ている人がいないから、何かあったのかと思っていたら「日中は家にいるのが普通」とのことだった。

「昔から水は貴重とされているので、暑い時間帯には家で動かないようにしているのです」

「へー、そうなんだー」

「ですが、外からのお客様には対応する必要があるので、私のように交代制で出迎えるようにしていますよ」

「へー、そうなんだー」

実はこの話、三回目だったりする。

そろそろツッコミたいとは思うけど、もしかしたら必要だから話しているのかもしれない……とか？

抱っこしてくれているお父様を見上げると、そっと水筒の果実水を手渡してくれる。いや確かに汗をかいているけれども、そうじゃなくて。

「なぁ、俺たち世界樹の跡地に行きたいんだけど」

「え？　世界一美しいエルフは誰かって？　それはもちろん、かの精霊王も絶賛したという……」

「きゅっ！（我にそのような記憶はないぞっ！）」

誰がエルフは耳がいいって？

そういえばモモンガさんは精霊王なのだけど、この世界で有名な物語には節目節目に登場するキーキャラクターみたいに描かれることが多かったりする。

勇者に聖剣を与えるのも精霊王だから、けっこう重要キャラではあるよね。

などと関係ないことを考えていたら、何かに気づいたティアが『祈り』の姿勢をとっている。

やがて私たちを中心として聖なる領域が展開された。

「魔力の流れを一時的に止めました。これで静かになったかと思われますが……」

「ああ、神官のお嬢さんありがとう。これほどまでにすごい音の魔力が流れているのは初めてで……。

小さなお嬢さんの声も聞こえないから、つい何度も同じ話をしてしまいましたよ」

よく考えたら人族の方には聴こえない音でしたねと、美青年エルフは微笑んでいる。

事前に大きな魔法は使わないって話し合っていたはずなのに、なぜ魔力の流れが？

目をギュッと細くしてピントを合わせると、周囲に魔力がある。流れは止まっているけど流れていた残りが視えるのだ。

「……ベルとうさま？」

「ユリアを守るために必要なものだろう」

「エルフのひとたち、かわいそう」

原因はお父様の過保護でした！　残念！

そして美青年エルフは怒っていないみたいで良かったです！

「私は年寄りだし、この街では耳が遠い方なので大丈夫でしたよ」

若く見えるけど、やっぱりお爺ちゃんエルフだったのね……。

「俟……ご主人サマ。ここは街の中だし、俺らがいれば護衛は充分だろ」

「まちでは、だっこでいます！」

「わかった。そうしよう」

ぐぬぬ、街では抱っこ移動になるとは。

自分で提案したことながら、自立への道が遠のく危機ではなかろうか。

世界樹の跡地はエルフにとって聖地のようなものらしく、海上で生活していた時代に方々へ散ったエルフたちの「還る場所」とされている。

それもあって、馬や砂漠角蜥蜴などの預かり場所も街に設けられているのだ。

ウコンとサコンをどうしようかと迷っていたら、案内してくれるエルフ美青年が驚いている。

「まさか聖獣様がいらっしゃるとは……え、あれ、ちょっと待ってください、なぜ聖獣様に馬車をひかせているのです？」

「彼らが希望したからだ」

「そんなわけないでしょう⁉」

さらっと言ってのけるお父様に、さすがの穏やかエルフさんも声を荒げてツッコミを入れている。

「きゅきゅ？（我はウコンサコンよりも強いのだが、なぜ気づかれない？）」

慌てるエルフさんを見てモモンガさんがぼやいているけど、もしかしたら私の近くにいるせいかもしれないよ？　お父様の包囲網が分厚いみたいだし。

『我らを気にする必要はないのだ！』

『我らの好きにさせるとよいのだ！』

元気よく返事をするウコンとサコン。

それでもエルフの反応があまりにも激しいので、とりあえず馬車から外して私たちと一緒に行動してもらうことにする。

ウコンサコンが私たちから離れないことに納得したエルフさん。落ち着いてくれたようで何よりです。

なぜならエルフ族が同行していないと世界樹の跡地に入れないとのことだったから。

「聖獣様が同行していれば、私が居なくても大丈夫ですよ」

訂正。ウコンサコンがいれば私たちだけで入れるみたいです。はい。

「きゅきゅ……（我のほうが偉いのに……）」

モモンガさん、いじけないでもろて。


オルフェウス君とティアは馬車の中で待機することになった。二人は護衛として付いて来ようとしていたんだけどお父様が不要だと言う。

魔法での結界を張れないから、二人には夜の見張りをお願いすることになる。だから今のうちに休んでもらうというのが理由だ。

セバスさんも残って二人と馬車を見ていてくれるということで……。

世界樹の跡地を見に行くのは私とお父様、そしてモモンガさんとウコンサコンのモフモフ隊という面々だ。

エルフさんはウコンサコンと一緒にいることが嬉しいみたいで足取りも軽やかだ。とてもご老体とは思えぬ身の軽さは、さすがエルフってところかな。

青空に映える白い建物ばかり続く街の中心へ歩いて行くと、真っ白な円状の舞台のようなものが見えてきた。

「ここが、せかいじゅのあとち？」

「はい。この大きな円状の物は世界樹の根の部分となります」

案内役のエルフさんが言うには、この白い大理石のような丸い台の全部が世界樹なのだそうな。

驚きである。

嘘でしょ？　一周何百メートルくらいなの？　前の世界の陸上競技場のトラックくらいあるよ？

これが根もとの部分だとしたら、どれだけ大きな樹だったかという話ですよ。

世界樹の上に街を造って生活していたくらいだから、これくらいの規模は必要だったということかな。

世界樹の根の上に登るのは禁止されていると立て看板に書かれていて、とりあえず外周を回ってみようと歩いていると、反対側にアケト叔父さんと数人のエルフたちがいる。

深刻そうだけど、例の『ビアンの花』関連のことかしら？

5　エルフに大人気の聖獣たち

「やぁ、我が姫。湖は楽しかった？」

「きれいでした」

「跡地を見に来たのかい？」

「せかいじゅ、みにきました」

笑顔をみせるアケト叔父さんの後ろで、かなり驚いているエルフの皆さん。

あ、もしやお気づきですか？　中型犬サイズになっているウコンサコンのモフモフな愛らしさにつきまして。

ところがエルフの皆さんは「聖獣様だ！」と騒いでいるのでモフモフは関係ないらしい。残念。

「ええ⁉　聖獣⁉　姫は変わった生き物（モモンガ）を飼っているから、愛玩（あいがん）動物か何かだと思っていたんだけど……まさか聖獣とは……」

アケト叔父さんの言う前半の生き物（モモンガさん）についても、かなり変わっていると思うけどね。中身が精霊王だし。

「……それで、交渉は終わったのか？」

「いや、難しいところだね」

お父様の言葉に、首を振って疲れたような笑顔を返すアケト叔父さん。

二人が話しているのは、さっきまで聞いていた『ビアンの花』に関することだと思われる。

「きゅ？（いったい何の騒ぎだ？）」

お父様に抱っこされている私の膝の上でスヤスヤ寝ていたモモンガさんは、ウコンサコンを取り囲んで大騒ぎしているエルフさんたちに起こされたため大変御立腹だ。

体毛をブワッと膨（ふく）らませて怒るモモンガさんを宥（なだ）めるように撫（な）でると、少し落ち着いたみたいで木の実を食べ始めた。

モモンガさんったら、すっかり野性に返り咲いて……。

えーと、魔獣除けにもなる『ビアンの花』は、この町の世界樹を原料としているんだけど、それがなくなりそうだって話だよね。

しょんぼりしていると思ったら聖獣を囲んじゃったりして、わりと元気なエルフさんたちなんですけど。

「きゅきゅっ（そうであろうな。エルフどもにとって聖獣は神に等しい存在ゆえ）」

え？　そうなの？

ふとアケト叔父さんを見ると、苦笑しながら説明してくれる。優しい。

「塩の街は我が国とだけ取り引きをしてきたんだ。基本的に彼らは物静かで、商談が終わるとすぐに家へ帰ってしまう。茶も出してもらったことがないくらい、愛想というものがない種族なんだよ」

塩対応のエルフ……塩の街なだけに……ぷぷっ。

んんっ、笑っている場合じゃないぞ。困っているアケト叔父さんのために何かできないかしら？

おっと、どうしたのかな？　私を抱っこするお父様の腕の筋肉がムキムキしているぞ？

「ユリアはエルフをどう思っている？」

「エルフ、ですか？」

珍しくお父様からされた質問に、こてりと首を傾げながら考える。

塩対応エルフは面白い。

顔が美しい。

髪の色は薄い緑が多い。

「ここのエルフは年寄りが多いぞ」

「う？　おとしより？」

顔を上に向けると、どこか面白くなさそうな顔（でも無表情）のお父様が私を見下ろしている。

ふむふむ。なるほど。ちょっとよくわからないですね。

「エルフに興味があるように見えたが、違うのか？」

「はい。きょうみあります」

その瞬間冷たい空気が流れて、寒さに弱いアケト叔父さんがクシャミをしている。

魔力の流れを感じたのかエルフの皆さんが騒ついておりますので、お父様落ち着いてくださいませ。

「ふへ、へっくしょい！　姫、興味があるって、どういうことかい？」

「せかいじゅ、エルフのひじゅつ、しりたいです」

「エルフたち自身に興味はないのかな？」

「おみみ、ながいなっておもいます」

あの長い耳をじっくり見てみたいなぁと思うけど、それは失礼になるかもしれないので我慢の子ユリアーナです。

そしてお父様が「耳……伸ばすか……」とか呟いてますけど、何を目指してらっしゃるのでしょうか。どうかそのままのイケパパでいてくださいお願いします。

そんなやり取りをしていると、ウコンサコンを囲んでいるエルフさんたちが両膝をついて祈りを捧げている。

『むぅ、困るのだ！』

『むぅ、待つのだ！』

ちょっと目を離した隙にモフモフたちが困ったことになっているみたいだ。

これはいかん！　という私の気持ちを察したお父様が、抱っこしたまま祈るエルフたちの中へと入っていく。

何があったの？

『ここに留まってほしいと言われたのだ！』

『おもてなしするって言われているのだ！』

どうして困るの？　良いことだと思うけど。

『我らは共存共栄が基本なのだ！』

『何もせず対価を貰えないのだ！』

ふむふむ。森を守護していた時も対価をもらっていたのかな？

「きゅー（森を守れば、森の恵みを得られるからな）」

縋るような目で見上げているエルフさんたちに、なんと言ったら良いものか悩んでいると、お父様がまわりに圧をかけるのを感じる。

「長と話したい」

「それならビアン国としても……」

「商いの交渉ではないから、我らだけで話をする」

アケト叔父さんのことをバッサリと切るお父様。うちのイケパパが氷でごめんなさい。

私と目が合ったアケト叔父さんが苦笑しながら引き下がってくれた。あの人もけっこうイケメンなんだよなぁ……と思ったら、さらに冷え込んできましたぞ。

あ、エルフさんたちが耳を押さえてるよ。

お父様、大至急魔力を引っ込めてもろてー。

「ベルとうさま、なんのおはなしするのですか？」

「……確認をする」

「かくにん？」

私がこてりと首を傾げると、お父様はこくりと頷いた。

「ここに残っている世界樹の確認をする」

6　古を守りしエルフ族と遠い目をする幼女

まさかこんな大事になるとは……といった様子のエルフさんたちと私ユリアーナです。

いや、軽い気持ちで聖獣であるウコンサコンを勧誘されても困るのだけど。

モモンガさんは我関せずだし、ウコンサコンは「生殺与奪の権は預けてますので」と私に言ってくるしで困惑するしかない幼女だよ。

アケト叔父さんには席を外してもらっているので、現在ここはお父様の独壇場となっておりますよ。

エルフの長の家は、ひときわ大きい石灰岩をくり抜いて造られていて、この造りの家は外が猛暑でも室内はほどよく涼しいからありがたい。

魔法で涼しくしたいところだけど、使用制限されているのが痛い。とはいえ、危険な状態になったら私もお父様も容赦なく使うけどね！

外観もそうだけど内装も真っ白。かろうじて家具はカラフルな布で飾られていて、アケト叔父さんの着ている服と同じような模様だからビアン国由来のものだと思う。

大きな丸いテーブルに長が座り、対角線状にお父様と（膝抱っこされた）私が座っている。

モフモフたちはモモンガさんが精霊界から出した「あの時の雪」の上で涼んでいる。ちょっと羨ましい。あとでまた飲み物に入れてもらおうっと。

「それで……我らに聞きたいことがあるとか」

おずおずとエルフの長が口を開く。

見かけは細身の美青年でも、けっこうなお年なんだろうなぁ……と見ていたら、お父様の抱っこする腕に力が入った。ぐぇぇ。

「ユリアが連れているモノたちに留まれと頼んできたのはそちらの方だ。聖獣に何をさせようとしている？」

「……聖獣様方を無理にお引き留めしているわけではございませぬ」

「ほう。ならば不要ということで良いと」

「……」

気弱そうに見えたエルフの長だけど、なんとなくそれだけじゃない感じはするね。

考えてみたらやり手の商人であるアケト叔父さんとやり合うくらいだもんね。弱そうに見えるけど、実はムキムキなんじゃなかろうか。

「……」

「……ユリアーナ、無茶を言ってやるな」

どうやら心の声が表に出ていたみたい。

うひゃー！　恥ずかしいー！　こういう時は注意してよー！

「きゅきゅっ……（主は顔にも外にも心の声が出やすいから、注意をしても追いつかぬだろうな……）」

モフモフに埋もれているモモンガさんからのツッコミが身に染みる。

まぁまぁそう言わずに！　なにとぞ注意喚起を頼みますよ！

「コホン、失礼。聖獣様方の件は無理にとは言いませぬ。ですが世界樹のために、どうかご協力いただきたいのです」

「そちらは『世界樹のため』ではなく、『世界樹を使うため』だろう？」

なぜ人間が知っている⁉　などと、室内にいるエルフたちが騒いでいる。いやいや知られちゃいけないなら騒いじゃダメでしょ。ステイステイ。

「なるほど。さすがはフェルザー家の情報収集能力といったところですかな。我々のように閉じられた世界におりますと、世情に疎く……」

そう言いながらも私たちが「フェルザー家」だと見破っているあたり、エルフの長さんもなかなかだと思いますが。

たぶん、わざと言ったんだろうけど。

「もういいだろう。そちらの『世界樹』の残りで、あと何年持つ？」

「そうですな。今のままですと、残り千年ほどでしょうか」

千年？　それならまだまだ大丈夫じゃない？

アケト叔父さんが『ビアンの花』の原料として求めたのを合わせてってことでしょう？

「ユリア、種族的にエルフ族は長命だ。千年後を考えると今から動く必要があると言いたいのだろう」

「よくお分かりで」

お父様の言葉に、やっと頬を緩ませるエルフの長。

怖がられることが多いけど、お父様は誰に対しても平等だ。公式の場でなければ身分関係なく平等に接するから、そこが怖いという人もいるけど、それも優しさと捉える人もいたりする。

……私には甘々だけどね。

そんなお父様の言葉に勇気をもらったのか、エルフの長は話を続ける。

「我らが今まで守ってきた『世界樹』は創世の時からあったものでしてな。大洪水から救ってもらい、枯れてもなお我らの生きる糧となってくださっている『世界樹』を次の世代に繋げられないことが長年の苦悩でもありまして」

「そこで聖獣にまつわる伝説を出してきたのか」

「ええ。森の守り手である聖獣様には、もしや『世界樹』の子を育てられるのではないかと……」

育てる？　『世界樹』の子どもを？？？

モフモフの塊に目を向けると、モモンガさんが尻尾を揺らしている。

え？　それどういう返事なの？

「きゅー（精霊界にある『世界樹』は厳密には子どもではないが、挿し木で育てることができるやもしれぬぞ）」

思った以上に返事の内容が濃かった！　尻尾フリフリだけじゃ読み取れなかった件！

最近のモモンガさんは寝ていることが多いし、疲れているのかしら？

『我らが育てなくてもいいのだー』

『我らだと砂漠が森になるのだー』

ふむふむと頷いた私は、お父様の美しいお顔を見上げる。さっきまで氷のような無表情だったお父様が、口元を緩めて「どうした？」と聞いてくれる甘やかな声にキュンキュンしながらも頑張って言葉にする私。

「わかいきをさして、エルフさんたちが、そだてたらいいみたいです」

「聖獣じゃなくてもいいのか？」

「ウコンサコンは、ここをもりにしちゃいます」

「砂漠を森に⁉」

驚いた様子のエルフさんたちだけど、それなら是非お願いしたい！　という流れにならない。

「我らは砂漠に慣れてしまったものでして……。それに、観光でうたっている『おいでませ！　塩対応のエルフが皆様をお出迎え！　塩の街だけに！』という文言が消えてしまうのは惜しいかと……」

何言ってんだこのエルフ。

やはり人とエルフは相容れないのだなぁと、遠い目をする幼女でしたとさ。

7　名物クッキーが気になる幼女

話し合いの結果、モモンガさんが精霊界から持ってきた『世界樹』の若木を、聖獣たちの奇跡ということでエルフ族に進呈することになったとさ。

大号泣するエルフさんたちを見て、モモンガさんは不満げにきゅーきゅー鳴いている。

「きゅきゅ……（ぐぬぬ、我が行ったというに……）」

ここで精霊王が出てきたとか言ったら、さらに現場が混乱しちゃうと思うのだよ。ごめん。ごめんよモモンガさん。

「きゅ！（主のためだ。我は構わぬ！）」

とはいえ不満なのは変わらないらしく、モモンガさんの尻尾が常にウコンサコンをテシテシ叩いている。

ご機嫌ななめな精霊王に対し、下にいるモフモフたちが震えているので、ほどほどにしてやってほしい。

折れたことにより、巨大な切り株が円形の舞台のようになってしまった『世界樹』の跡地には塩の街に住むエルフ族全員が集まっているようだ。エルフ族の長がうやうやしく若木を手に持って何かをしている。

どうやら前の世界でも見たことがある「挿し木」のようなことをやろうとしているみたい。たしか桜の木とかで見たことがあるような……？

いつもは静かであろう塩と石灰で真っ白な街は、今やお祭り騒ぎとなっていた。いったいどこに居たんだとツッコミたくなるくらい、たくさんの人が外にいる。

露店もいくつか出ていて、オルフェウス君とティアが護衛をしながらも興味津々といった様子だ。

セバスさんは後ろに控えていて、私を抱っこするお父様ごと日差しを除けられる傘をさしてくれている。

「なぜかエルフたちが急に取引をしてもいいって話になったんだけど、我が姫は何をしたのかな？」

「しらなーいっ」

「えー、叔父さんに教えてよー」

「しらなーいっ」

「いじわるだなぁー。少しくらい教えてくれてもいいじゃないかー」

「いーやー」

「おい。ユリアに構うな」

しつこく絡んでくるアケト叔父さんを、ひと睨みで遠ざけるお父様のすごさよ。

いや、もしかしたら目から何か出ていたのかもしれない。さすがお父様。

「……数千年にわたりエルフ族が秘術をかけていたのを、新しくかけ直そうとしているらしい。そこで我々と共にいる聖獣たちが力を貸した流れだ」

「なるほど……それで交渉が進んだと。さすが我が姫」

「ユリアを巻き込むな」

「いやいや巻き込んだのは向こうでしょ」

さりげなくアケト叔父さんを責める方向に持っていくお父様は、やはりまだまだ信用できないのかもしれない。

良い人だと思うのだけど、商人のイメージが「抜け目ない人」って感じだからなぁ。アケト叔父さんへの態度については、ただ私の感情をお父様が察知した結果のような気もする。

「今回の件は貸しにしてやってもいい」

「おやおや、商人としては聞き逃せない言葉ですねぇ。私は借りをつくりたくない性格でして……」

アイスブルーの瞳をここぞとばかりに冷たく光らせるお父様を、アケト叔父さんは笑顔で返す。

「ならばどうする？」

「そうですねぇ。我が国で滞在中、私の権限で出来ることがあればご協力いたしましょう」

「……ランベルト・フェルザーは自国から出ていない、という事実はどうだ？」

「承りました。エルフ族との商談再開へのご協力感謝いたします。我が姫の護衛殿」

そう言って丁寧にお辞儀をするアケト叔父さん。

急にこういうことを言うお父様は珍しいから不思議に思っていたけれど、そういえばアロイスモードじゃないお父様の姿をアケト叔父さん達にガンガン見せていたのはよろしくなかった気がする。

「ユリアは今の私の姿のほうが安心するだろう？　聖獣の件を利用して悪いと思ったが、ビアン国でも公式の場以外はこの姿で過ごそうと思っている」

「ベルとうさま！」

抱っこされたまま、思わずその厚い胸板にしがみつく私。

考えないようにしていたけど、やっぱり外国で暮らすというのはかなり不安だった。しがみついたついでに匂いも堪能させてもらおう。

こっそりくんかくんか。はぁー、落ち着くわー。

『世界樹の若木が定着したのだ！』

『世界樹に新しい命が宿るのだ！』

森を守護する聖獣のウコンサコンが、エルフ族たちの儀式が終わったことを教えてくれる。

これでひと安心ってことですな。

あれ？　ちょっと待てよ？

新しい世界樹が育ったら、真っ白な街に緑が増える感じになるのかしら？

「きゅきゅ（精霊界で育っている世界樹は白い。ここでも同じように育つぞ）」

エルフ族の人たちが「塩で白い街」という感じが気に入ってたみたいだから、景観を損ねない色で何よりですね。

塩対応のエルフという部分は改善しても良さそうだけど……この街は親切な人が多そうだし……。


「お嬢サマ、この干した果物が名物だって。食うか？」

「エルフの耳クッキーもありますよ」

「ありがとー」

「ユリア、むやみに人から食べものをもらうな」

観光を終えた私たちは、商談が進んだことにより帰りを急ぐアケト叔父さんを追いかけるように塩の街を離れることになった。

馬車の中でオルフェウス君とティアから塩の街名物をもらおうとすると、お父様からストップがかかる。

セバスさんフィルターを通した後だから大丈夫だと思うのだけど。

「ここはもうビアン国だ」

ふむ。なるほど。

食事やお茶の時間に出てきたもの以外で食べものを渡されたら、その場で受け取ってもいいけど食べたらダメって作法があった。

基本的にプレゼントは受け取らない、というのがビアン国の作法なのだけど、食べものとかなら受け取ってもいいのだ。

「きをつけます」

「……うむ」

良い子のお返事をしたからか、お父様が素早く抱き上げて頭を撫でてくれる。

珍しくひとりで座っていたのだけど、思えば短い椅子生活でした。無念。

きっとお父様はビアン国に入っているのだから、気を引き締めるようにって言いたかったのだろう。

「これ絶対、侯爵サマがお嬢サマに買ってあげたかっただけだろ」

「そういうことは言っちゃダメですよ」

お父様の上腕二頭筋がピクッとしているけど、まさか違いますよね？

◇氷の侯爵様は塩対応する

青い空の下、白い大地の中にある青い湖。

エルフ族が住む塩の街に入る前に、景色のいいこの場所を観光することになったのは、ユリアーナが望んでいたからだ。

塩湖の景色を見たユリアーナは、無邪気な笑顔で「泳ぎたい」などと言っている。

この場所を管理しているエルフ族が湖に入ることを禁じているが、ユリアーナのためなら実現させてやろうと思ったところ、「エルフ族と戦争を起こすのは、お嬢様が悲しまれますよ」というセバスの言葉で渋々取りやめることにした。

確かにセバスの言う通り、自国にいるはずの「フェルザー侯爵」が動くわけにはいかないのだが。

ユリアーナは優しい子だ。ここで争いごとを起こすのはよろしくないだろう。

とりあえず日課である記録用の魔道具を起動させ、愛らしい笑顔を振りまくユリアーナを映像に残す作業をする。私の仕事を肩代わりしているヨハンからも強く願われているから、撮り逃すことはできないのだ。

これがなかなかに難しい。

ヨハンの要望である「自然な姿のユリアーナ」を映像として残すには、魔道具の存在に気づかれてはならないからだ。

以前はユリアーナに付いている茶色い毛玉……精霊王が反応したため気付かれることが多かったが、最近は魔道具について反応することが少なくなっている。危険なものではないと認識した上での流れならいい。しかしそうではない場合は問題だと思うのだが……。

つらつらと考えていると、セバスが申し出てくる。

「旦那様、毛玉について調べておきますか？」

「ああ、頼む」

フェルザー家当主である私は、ほんの少しの疑問も逃してはならない。

この世に起こるすべての事象に対し、答えが見つからないということがあってはならないからだ。

小さな疑問を逃していると、いずれ取り返しのつかないことになるのは世の理だと思っている。

「精霊界の『記憶乃柱（ログライン）』に触れれば、我々の持つ情報が格段に増えるのではありませんか？」

「あれは危険だ。絶対に触れてはならん」

「ご安心を。私（わたくし）が触れることは不可能だと精霊が教えてくれました」

「む？　精霊と会話をしているのか？」

「なんとなく感じ取っただけですが」

なるほど。確かに歴代のセバスは、人の心を酌（く）むことに長けている。

まさか精霊に対してもできるとは思わなかったが……。

湖を眺めているユリアーナを魔道具で記録しながら癒されていると、ふと後ろに控えているセバスが耳打ちしてきた。

「旦那様、どうやらエルフ族は世界樹の出荷を調整しているようです」

「尽きたのか？」

「それはまだかと。跡地の切り株がそのまま残っておりますから」

「……だろうな」

冒険者時代、依頼で塩の街に来たことがある。

その時もエルフ族の中で「世界樹が不足している」と話題になっていた記憶がある。

もちろんそのことは表には出ない情報であり、フェルザー家というよりも冒険者アロイス独自の情報網から摑んだものだったが……今もなお続いているとなると、いよいよ世界樹の不足が深刻な状態になったのかもしれない。

「いかがいたしますか？」

「ユリア次第だ。こちらから関わる必要はない」

「精霊界にある世界樹を使えば、問題は解決できるかと」

「そもそも、精霊界に人族が入ることは不可能だ。つまり人族である我らは、枝葉のある世界樹を見たことがないということになる」

「かしこまりました」

私自身がエルフ族に対し悪い印象を持っているわけではない。

けして若い頃、夜の誘いを即断った私に向けて「不細工な人間ごときがいい気になるな」とエルフ族の女に罵倒されたのを根に持っているわけではないのだ。

「旦那様……」

「違うぞ」

何か言いたげなセバスに対し、取り急ぎ否定の言葉だけは投げておく。

竜族たちのイザコザに巻き込まれたりと想定外の事もあったが、私はユリアーナにとって今回の旅が「良い機会」になると思っている。

「あの子には何にも囚われず、自由に進んでほしい。それだけだ」

「そう仰いながらも、お嬢様の進む方向を予想されているからこそ、我らにエルフ族を探らせたのでしょう？」

「万全を期す必要があるだけだ」

そう、私はエルフの悲願を知っている。あのエルフ族の女は言っていたのだ。

「我ら旅を続けるエルフは願っている！　この世界のどこかで世界樹を育て、守り続けたい！　これぞ大恩ある世界樹に対して我らが出来る唯一のことなのだ！」と。


結局、ユリアーナはエルフ族を助けることを選んだ。

私は何もしていない。ただ、見守っていただけなのだが。

「ベルとうさま、ありがとうございます！」

「……何もしていない」

「セバシュからききました！」

「……そうか」

満面の笑みで礼を言うユリアーナを、そっと抱きしめて頭を撫でてやる。

私に礼を言う必要はない。ただ、ユリアーナが笑ってくれれば……それだけでいいのだ。

エルフ族たちの悲願を叶えるため、毛玉は精霊界から世界樹を持ってきた。聖獣たちも手助けをしていた。

だが私は何もしていない。

「いつも、ベルとうさまが、まもってくれるのです」

「当たり前だ。私の可愛いユリア。私の唯一」

私に笑顔を向けてくれるユリアーナの愛らしさに感極まり、抱きしめる力が強すぎてセバスから注意を受けてしまう。猛省せねば。

帰りを急ぐアケトを追うように塩の街を出た私たちは、馬車の中でゆったりと寛いでいた。

外は砂漠特有の気候のため息苦しいくらいの暑さだが、私とペンドラゴンで改造した馬車内は適温を保つことができる。無論その適温とは「ユリアーナにとって」であることは言わずもがなだ。


まだだ。まだ、時間があるはずだ。

成人もしていないユリアーナが、私から離れるのは当分先のことだと思っている。

いや、私の……フェルザー家の全権力を行使し、できうる限り引き延ばしてみせよう。

そしていつかユリアーナが私から離れることがあっても、必ずや守ってみせる。

あの子のためならば、私は……。

「旦那様」

「なんだ？」

「魔力が漏れております」

「……すまん」

私は膝の上でクシャミするいとし子の頭を撫でてやり、ほどほどにやったほうが良さそうだと決意し直すのだった。

8　砂漠に咲く花の秘密を知る幼女

ビアン国の中でも王宮のある街は国境の近くにある。

なぜなら、砂漠の中心に近づくほどに魔獣も増えるからだ。そして砂漠の中には砂に埋もれた古代の遺跡も多く存在している。

そして街の入り口に立っている兵士を、多くの馬車が止まらず通り抜けている件。

「ここは王都みたいなものなのに、出入りの時の検査はあまりしないのでしょうか？」

「魔改造馬車も素通りできるってのはすごいよな」

ティアの言葉にオルフェウス君が頷く。

アケト叔父さんたちと一緒に行動しているとはいえ、ここまで検問をスルーしていると不安になってくる。

「王族と共に行動しているというのが第一の理由だろうが、もともとこの国の監査はあってないようなものだ」

「ベルとうさま、それだと……」

「ああ、だから犯罪者も多く潜んでいる可能性もある」

砂漠の遺跡に眠っているお宝を求める冒険者（ハンター）といえば、荒くれ者やならず者が多いイメージだ。

そこに犯罪者まで加わるとなると……。

「ユリアは私が守るから安心しなさい」

お父様の言葉は嬉しいけれど、そういうことじゃなくてですね。

ぷくりと頬を膨らませている私に、お父様が「落ち着け」と背中をポンポン叩いてくれる。

「この国は昔からそうなんだ。知る人ぞ知るやり方で、悪（あ）しき者どもを遠ざけている」

「むかしから、ですか？」

「ユリアは『ビアンの花』の話を聞いただろう？　あれは不思議なことに犯罪者の手には入らないようになっている」

なんですと⁉　それは初耳です‼

オルフェウス君とティアも驚いているから、これは結構な機密情報なのでは……。

「旦那様、それは……」

「ユリアはフェルザー家の人間だ。知っていてもいいだろう」

セバスさんまでオロオロしているのが怖すぎる。

そして私に関わっているばっかりに、思いきりオルフェウス君とティアを巻き込んでいるのが申し訳なくて震える。ぶるぶる。

「お嬢サマ、気にすんな。今さらだ」

「そうですよ」

うう、二人の優しさが骨身に染み渡るぅ……。

友情パワーに感動したところで、続きを聞くことにしよう。この際まるっと全部聞いてしまおう。

(好奇心ゆえに開き直り)

「エルフの秘術と世界樹の力だとは思うが、砂漠から生まれることにより『ビアンの花』に特殊な力が宿る」

「あ、もっていると、まじゅうがちかづかない」

「そうだ。特に砂漠の魔獣に向けての力も強いが、それだけじゃない。『ビアンの花』には、砂漠の地を踏んでいる悪しき者を近づけないという特性もあるのだ」

すごいな『ビアンの花』！　万能すぎですな！

あれ？　ということは……。

「砂漠では『ビアンの花』無しでは生きていけない。王宮の中でも花無しでは魔獣に食われてしまう」

「それでは、善人であっても『ビアンの花』について知らない方はどうなるのでしょう?」

「いいひとたち、たいへん?」

首を傾げながら呟くティアと同じく、私も首をこてりと傾げる。

「我らのように力があれば必要のない物だが、それ以外の一般人については、なぜか手に入るようになっている」

「適当だなおい」

「お前も身に覚えがあるだろう？　冒険者としてここに来た時に、誰かから買わなかったか？」

「そりゃ荷運びの護衛として必要だから買ったぞ。冒険者として現地の人間の助言は聞いて損にはならないからな」

「買わなかった人間もいただろう？」

「安いもんでもなかったから、買わない奴らもいたぞ。結果はお察しのとおりだけど」

オルフェウス君が渋い表情をしているから、きっと色々あったんだろうなと思う。あえては聞かないけど。

「どこまでを悪い人間だと判断するかは不明だが、少なくとも犯罪者に関しては何かしらの事が起きている。ユリアと行動するようになって、それがひとつの『世界の理』であると予想はしているが……世界樹に関しては、エルフ族でもまだ分からない部分が多くあるようだ」

ええ、そんな正体不明のものを使っちゃってるの怖くない？

でも前の世界での民間療法とかでも、なんでそんなものを使おうと思ったんだってことが多くあったなぁ。

毒のあるものを酒に漬けて無毒にするやつとか。そのまま食べたらお腹壊すようなものを加工して食べたりとか。

つまり、この世界でもチャレンジャーは多くいるってことですな。皆様どうか健康で長生きしてね……。

「お、おい、ちょっと待て‼　そんな重要なもの作る原料が枯渇しそうになっていたのを、お嬢サマのモフモフたちは解決したってことか⁉」

「砂漠で生活する人間が減るだけだ。特に問題はないだろう」

いやいや大有りでしょ⁉

そりゃアケト叔父さんが血相を変えて交渉していたはずだよ！　そしてこの件について貸し借りの話をしていたけど、あの商人魂溢れるアケト叔父さんのことだから、きっとまだまだ恩返ししようとするだろうな！

「きゅきゅ（もっと我をほめ讃えてもよいのだぞ）」

えらいよモモンガさん！　すごいよモモンガさん！　ナイッスゥー！

「きゅ……（なにやらえらく軽いほめ方であるな……）」

なにはともあれ、私たちが動いたことで砂漠の国が救われるなら良かったと思う。

塩の街で、しっかり世界樹が育つといいなぁ。


なんやかんやありまして。

ほのぼのと馬車旅をしていた私たちだったけど、王宮に到達したところでまさかの事態に直面するのでした。

9　足止めをくらう幼女

「王宮に入れないだって⁉」

聖獣であるウコンサコンがひいている馬車に御者は不要だけど、形だけでもと街に入ってからは御者台にオルフェウス君がいてくれた。

アケト叔父さんの商隊と一緒に行動していたのに、なぜか王宮の門番に止められてしまう。

「俺らは王宮に呼ばれた側なんだぞ。入れないっていうのはどういう訳だ？」

「そ、それは大変申し訳ございません！　これは王命でして……」

ビアン王宮の門番をしている兵士は、馬車の窓から顔を覗（のぞ）かせている私に気づくと申し訳なさそうに頭を下げる。

「五位様と共にいらっしゃった方々に対して申し訳ないとは思うのですが……現在、関係者以外立ち入り禁止となっておりまして……」

五位様？　と聞き慣れない言葉に、ビアン国は官位や役職で呼び合うんだっけと思い出す。そういえばアケト叔父さんは王位継承権五位だった。

何があったか知らないけれど、関係者といえば私はビアン国の王族関係者であり血縁者でもあるのですがが。

念のためアロイスの姿になっているお父様を見ると黙ったままなので、私も真似っこして静観しておく。

兵士たちに足止めされた私たちを見て、慌てたアケト叔父さんが事実確認するために走って行ったけれど、もしやこれは……。

「きょう、のじゅく？」

「この馬車ならどこでも快適に過ごせるけど、宿をとることになると思うぞ。それより俺ら以外の人間が交ざることになったら面倒だと思うんだけど」

時間がかかりそうだと、御者台から馬車の中に入ってきたオルフェウス君が眉間にシワを寄せている。

確かにアケト叔父さんの賓客って立場が確定しているとなると、監視みたいなものが付くかもしれない。

そして上等な宿に案内されたとしても、快適じゃない場所だったら嫌だなぁ……贅沢だとは思うけどシャワーの水量とか制限されるのとか困る。

砂漠の国ということは水は貴重だろうし……などと海外旅行あるあるみたいな心配をする私。もっと心配すべきことがあるだろ私。

「水の魔石を多く持ってきている。心配はいらない」

「ベルと……アロイシュ！　ありがと！」

さすがお父様ですね！　そしてぬかりなく数種類の石鹸を見せてくれるセバスさん！

まだまだ待ちそうなので、窓のカーテンを閉めて馬車内を寛ぎモードにする。外にいるウコンサコンには申し訳ない気持ちになる。

するとと外から届く二頭の声。

『我らのことは気にせずとも良いのだ！』

『精霊王様からオヤツをもらったのだ！』

オヤツとはなんぞやと首を傾げていると、膝の上で寝ていたモモンガさんがむくりと起きて、どこからともなく真っ白な長い棒を取り出した。

ちょ、もしやそれって……。

「きゅきゅ！（栄養満点な聖獣のオヤツ、世界樹の枝だ！）」

「えだーっ!?」

いやいやちょっと待ってくださいよモモンガさん！　ドヤ顔している場合じゃないっていうか！

外にいるウコンサコンの喜んでいる気配が伝わってきて、微妙な気持ちになっていると。

「お嬢サマ、どうした？　何があった？」

「……なんでもないデス」

なんでもなくはないけど、なんでもないと言うしかない件。

お父様は遠い目をしている私を抱っこして、背中を優しくポンポンと叩いてくれる。いつもすみません。お世話かけます。

そんなこんなでセバスさんが淹れてくれたお茶でまったりしていると、ドアをノックする音が。

油断なくオルフェウス君がドアの外を確認して、そっと引き込んだのは疲れた表情のアケト叔父さんだった。

「セバシュ、おねがい」

「かしこまりました。五位様、お茶をどうぞ」

「ああ、すまないね。いただくよ」

この場を仕切るのはお父様……ではなく私だ。

護衛としているアロイス君は冒険者だし、アケト叔父さんと向き合える地位にいるのはフェルザー侯爵家のユリアーナだけだからね。

だがしかし、アロイス君に抱っこされている私が偉そうにしたところで、ただの着飾った幼女でしかないのだけど。

「ユリアーナお嬢様に代わって質問させてもらいますが、現状の報告をいただけますか？」

いかにも神官らしく穏やかな笑みを浮かべながら問いかけるティア。王族相手のやり取りは、言葉遣いが怪しいオルフェウス君は苦手とするところだ。

現在、馬車内の会話は、あえて隠さないようにしている。なぜなら、馬車に入ったアケト叔父さんが何を話しているのかをオープンにしないと、外で私たちを見張っている人たちに不自然だと思われるからだ。

これらのことを私が言うまでもなく皆が先に動いてくれるのは、すごいなぁ優秀だなぁって思うよ。

え？　私ですか？

周りの流れについていくだけで必死ですが何か？（涙目）

「まず、王命が出ているのは王族絡みの問題が発生しているからだよ」

「それはいつ頃まで続くのでしょう？」

「分からない……というよりも、この件に関しては我が国の人間では解決できないんだよね……」

心底困っているという様子のアケト叔父さんだけど、少し違うような感じがする。

いつも発している叔父さんの匂いとは違う、何かを隠しているようなニセモノっぽいものに思えるのだ。

アロイスなお父様を見上げると、アイスブルーの瞳がギラリと光った。

あ、これ、怒ってるやつだ。

「ほう。ビアン国の問題を、こちらに押しつける気か？」

「うわ、寒っ⁉　待って待って、そうなるけどそうじゃなくて、落ち着いて！」

褐色（かっしょく）肌が青ざめるを通り越して白くなるくらい慌てるアケト叔父さんと、こっそり雪国仕様のマントを羽織るオルフェウス君とティア。

私はいつの間にやらブランケットを巻かれていたけど、お父様はともかくとしてセバスさんは北の山でも砂漠でも同じ服装なのはどうして？　今度聞いてみよう。

「私も陛下（へいか）に会うことは出来なかったんだ。その理由はビアン国王族特有の病を発症していたからだよ」

「……それで？」

「うわぁ、もっと寒くなった。あの時みたい……いや何でもないですって！　陛下も私も幼い頃にやったことを、ユリアーナ姫にもお願いしたいだけなの！」

王様もアケト叔父さんもやったこと？

ブランケットの中から顔を出した私に、アケト叔父さんは真剣な表情で頷く。

「我が姫には、砂漠の中にある特別な遺跡に入ってもらいたいんだ」

10　とうとつに目をやられる幼女

若い姿のお父様でも、変わらぬ強さで発している氷の魔力。

冷え冷えとした空気が流れる馬車の中で、必死に状況説明するアケト叔父さん。

「我が国で王族になるには資産が必要なのだけど、それ以外にも必要な儀式があるんだ。儀式を行わないと資産があって王族になったとしても、妨害が入るようになっていてね……」

「その儀式にユリアが必要な理由は？」

「妨害が起きた血族と同じ色を持っている、成人前の子じゃないと儀式をするための遺跡に入れないんだ」

「王の病が、その妨害だというのか？」

「おそらくは……」

アケト叔父さんの痛ましげに伏せる目を見て気づく。

そうか。血族と同じ色ということは……。

「むらさきの、め？　わたしとおなじ？」

「その通りだ我が姫。今代の王は紫の色をお持ちだ」

するとティアがそっと手をあげる。

「あの……もし良ければ巡礼神官である私が『祈り』ましょうか？　何らかの病であれば、効果があるかもしれません」

「お願いしたいところだけど、過去の例からして『祈り』では治せないことが分かっているんだ」

「そうですか……お力になれず申し訳ないです」

「謝る必要はない。むしろ我が国の問題に君たちを巻き込もうとしているのが悪いのだから」

それでもなお依頼をしてくるということは、よほどのことなんだろうな。

根っからの商人であるアケト叔父さんにとって「借り」はつくりたくないだろうし。

「もちろん。依頼料はしっかりと払うよ。王の個人資産から出してもらうから、たっぷりとね」

あ、そうか。これはビアン国の王様の依頼ってことになるのか。

ならしょうがないよね。

「ベルとうさま。やりましょう」

「しかしユリア……」

「実は、遺跡に行っても姫が血族と認定されないかもしれない。我が国では、他国で生まれた子は王族と見なされないとされているからね。でも今、王の色を持つ子は血族の中では姫だけだ」

人助けなんて柄にもないけど、子どもが儀式で行くような遺跡にそうそう危険なんてないと思うんだよね。

だから、行ってみようよ。お父様。

「……危険だと感じたら、すぐに連れて帰る」

「ありがとう。それで大丈夫だよ」

とうとう折れたお父様に、アケト叔父さんがホッとしたような表情になる。

そして馬車内も適温に戻って何よりでございます。

「なぁなぁ、砂漠の遺跡に行くなら俺らに『ビアンの花』の支給はあるよな？　でかいやつを頼むよ。大事なお嬢サマのためにさ」

「も、もちろんっ！」

オルフェウス君の言葉に引きつった笑顔を返すアケト叔父さん。

それを見て、よくやったとばかりに頷くセバスさんがいる。もしやこういう駆け引きも冒険者の心得ってやつなのかしら？

後から聞いた話によると、この時私たちに支給された『ビアンの花』は、式典などで王族が持つようなかなり高価なものだったらしい。

駆け引きというか、脅迫（きょうはく）に近かったのかも……なんてね。ははは。

アケト叔父さんから「遺跡の中では魔力は使えない」と事前に情報をもらっている。

この遺跡は一度でも入ったら二度と入れない仕様になっているとのことで、アケト叔父さんは王宮の前で泣く泣く見送ってくれていた。

そして今、精霊たちはどうだろうと遺跡を確認しているモモンガさんたち。

「きゅきゅ（精霊は入れるが、世界に干渉できないようになっておるな）」

「つまり？」

「きゅ！（ただの動物になる！）」

危険はないという話だけど、ただの動物だと何かあった時困るのでお留守番をおねがいしたい。

頼むぞモフモフたちよ。

「きゅっ！（うむ。気をつけて行くのだぞ、主！）」

『お気をつけてなのだー』

『お気を確かになのだー』

馬車番をしてくれるモフモフたちに元気よく手を振って、遺跡の前に立つのは幼女と愉快な仲間たちだ。

メンバーは私、お父様、オルフェウス君、ティア、セバスさんだ。なんという過剰戦力なのか……！

魔法陣などは使えないからお父様はアロイスモードから元の姿になっているし、荷物は普通の荷物袋に入れて持ち運ぶ必要がある。

そして遺跡では魔力が使えない分、筋肉担当のオルフェウス君が大活躍しそうな予感がするよ。

アケト叔父さんから危険はないとのことだけど、最低限の食料や水は持っていたほうがいいよねってことで、今回は幼女の体力ギリギリの荷物を持っている私です。

遺跡は町の西から砂漠に入ってすぐのところにあった。

なんなら日帰りでも行けそうな感覚があるけど、天候によっては遺跡の中にいたほうが安全な場合もあるというからね。

風もほとんどなく、雲ひとつない真っ青な空に赤みがかった砂漠の砂色の対比がすごい。

そこに半ば埋もれるようにして、入口を示すプレートが建っていた。

「んー？　しれんの……なんだろ？」

「遺跡の名は『試練の館』というのか」

古代文字をスラスラ読めるお父様、さすがです。

私も頑張れば読めるけど、読み書きチートは日常に支障のない程度で、他は勉強すれば覚えることができている。

さすが天才（という設定だった気がするけど今となってはそれが生かされているのか不明の）魔法少女だね！

「でかい石が並んでいるだけに見えるけどな」

「きっと古代では館だったんですよ」

オルフェウス君のロマンのない言い方に、ティアがフォローを入れている。遺跡にまで優しいティアは聖女だと思う。

「入り口はこちらのようですね」

いつの間に前にいたのか、セバスさんが岩の陰にある床に描かれた扉のような絵を発見していた。

さすセバ。

この床に私が何かをすればいいんだよね。

アケト叔父さんが詳しく教えられないというから、適当にやってしまいますよー。

「ユリア、ここに目の模様が描かれている」

「め？」

「王と同じ色を持つ者が必要なのだろう？　ここにユリアの目を合わせればいいのではないか？」

「なるほど！　やってみる！」

目の模様の上に立つと、自分の顔を下に向けて合わせるようにする。

すると目の模様の真ん中が白く光り、私の目に眩しい光が飛び込んできた。

「ふぉぉっ⁉　めがっ、めがーっ⁉」

「ユリア‼」

「ユリちゃん‼」

「なんだ⁉」

「……‼」

全員が一斉に叫んだから誰が何を言っているのか分からないけど、セバスさんだけ別のことを言っている気がして……。

「うー、まぶしい」

「無理に目を開けようとすんなよ。しばらくそのままでいろ」

「ありがと、オルさま」

意外と近くにいたらしいオルフェウス君が、背中に手を当てて落ち着かせてくれている。

「目を閉じたままでいいから聞いてくれ。今、遺跡の中にいると思うけど、お嬢サマと一緒にいるのは俺、オルフェウスだけだ」

「ええ……むぐぅっ⁉」

「静かにしとけ。暗さに目が慣れるまでは、何かあった時に動けないだろ」

叫びそうだった口をオルフェウス君の手で塞がれた状態のまま、コクコク頷く私。

危険はないと聞いているけど、何が起こるか分からないと思っていたほうがいいよね。これは冒険者としての心得に「与えられた情報を信じすぎない」っていうのがあった……ような気がする。たぶん。

それにしても……オルフェウス君と二人ってことは、他のメンバーはどこに行ってしまったのだろう？

11　なかなか進めない幼女

だんだん目が慣れてきたなぁと思いながら、ゆっくりと辺りを見回す。

ぼんやりと光っている壁や床は、前世で見た「古代エジプトの遺跡」という感じだ。

もちろん壁になどに描かれているのはこちらの世界の古代文字なのだけど。

「オルリーダー、ここ、どこかわかる?」

「いや、分からねぇな……」

ぼんやり光っている壁と床は私たちのいるところだけで、他は真っ暗だから天井は見えないし、この場所の広さも分からない。

私たちが今、遺跡の中にいるのは確かだと思うのだけど……。

「多くの遺跡は時の権力者の城だったり、神殿であることが多い。この遺跡が試練の場だとしたら、神殿の造りだと思うんだよな」

「かみさま、いる?」

「いや、造りが神殿に似ているだけで、何かを祀(まつ)っているわけじゃないと思うぞ。お嬢サマのいる場所が入り口だとすれば、方向はこっちだと思うが……風を感じないから正直自信がない」

「オルリーダーでも分からないの?」

「さすがに王族しか入れない『閉じられた遺跡』までの情報は入ってこないからな」

ぼんやりとした光に照らされるオルフェウス君の表情は硬い。口調は軽くても状況は深刻ということなんだと思う。

風が流れていないということは空気の流れがないってことだ。今は息苦しくないけれど、酸素とか大丈夫なのかな。

無意識に胸元を押さえている私に気づいたオルフェウス君は、安心させるように優しく背中をさすってくれた。

「試練の場ってことは、生きて帰すことを前提としているんだろうし。火を使わなければ大丈夫だろう」

「ん。ありがと」

「それよりも早く帰らないと他の奴らがヤバい。侯爵サマが暴走しなきゃいいんだけど」

「たしかに」

とにかく闇雲（やみくも）に進むのは危ないからと、オルフェウス君は荷袋から糸を取り出して床に接着させていく。

これは蜘蛛（くも）形の魔獣から採れる特殊な糸で、ダンジョンなどのマッピングする時に使うんだって。距離も測れるから重宝していると教えてくれた。

以前「冒険者になるぞー！」なんて言ってたくせに、こういう必須アイテムとか知らないのはどうかと思うよ私。反省しよう私。

「こういう道具は常に新しい物が出ているから、俺らみたいな冒険者はその都度ギルドで確認しているんだ。お嬢サマは他にやることあるんだからしょうがねーだろ」

「うー、がんばる」

「おう。頑張れよ」

オルフェウス君は優しい。

なんだかんだ雑にやっているように見えて、ちゃんと人を見ているし気を遣ってくれる。さすが私の作品の主人公だ。

蜘蛛の糸を使いながらゆっくり進んでいくと、床の光っている部分が私たちと一緒に移動していく。

いや、違うな。これは「私のいる場所」だけが明るくなっているんだ。

「なるほどな。遺跡はお嬢サマの目に印を付けたってことか」

「うぇぇ、なんかいやだぁ」

「遺跡から出たら医者に診てもらえよ。あのピンク髪野郎め、まさか俺らをハメたんじゃねぇだろうな」

おっとオルフェウス君ったら、アケト叔父さんの印象があまり良くなかったのかしら?

まぁ、お父様とかに比べたら細身だし、明らかに筋肉量が足りない感じなのは否めないよねぇ。

「いや、筋肉がどうのって訳じゃなくてだな。個人的にビアン国の商人ってやつが苦手なだけだ」

「きんにくじゃなかった」

そしてまた心の中で考えていたことが口から出ていた件。身内はともかく、お外では恥ずかしいので気をつけたい。

「確かに侯爵様も師匠も筋肉すげーけどさ」

「セバシュも？」

「ああ、すごいぞ」

知らなかった。あのビシッと決まっている執事服の下には筋肉が詰まっていたとは……今度見せてもらえるかな？

オルフェウス君は周囲の気配を探りながら、糸を操作して進んで行く。私はついていくだけで申し訳ない気持ちになるけど、せめて邪魔にならないように頑張って歩こうと思っているよ。

「疲れたら言えよ」

「あい」

そう。魔力を使えないということは、魔法陣も使えないということだ。

でも私の感覚では、自分の中にある魔力を無理やり引き出すことはできそうなんだよ。何が起こるか分からないから、いざという時のため以外は使わないようにするけどね。

一時間ほど歩いたところで休憩をとることにする。

私が疲れたのもあるけど、それよりも床を見ていたオルフェウス君が、最初に糸で印をつけた場所に戻ったことに気づいたのだ。

「普通に進んだだけじゃダメってことだな」

「んー、もじ、むずかしい」

壁や柱に描かれている古代文字にヒントがあるかと見ているのだけど、花のような模様がたくさん付いている飾り文字になっていてうまく読めない。

とりあえず軽い食事を摂ることにした私たちは、焼き菓子を頬張りながら水筒の水を少しずつ飲む。

甘いものを摂ることで少し気持ちが和らいだ私は、ふと疑問に思ったことをぶつけてみることにした。

「オルリーダーは、どうしてつよくなりたいの？」

「ああん？　そんなことを知ってどうするんだ？」

「りゆう、しりたいの」

私が書いていた『オルフェウス物語』では、目的に対して強くなろうとする主人公の話だった。

でも、この世界はオルフェウス君が主人公じゃないから、もしかしたら別の理由があるのかなって思ったんだけど。

「そうだなぁ……昔はイザベラに負けたくなかったってのがあるな。ただ負けるっていうのが嫌だから強くなりたかった。それは今も同じだけど」

幼馴染のイザベラちゃんは体術に長けている元気いっぱいの女の子なんだよね。そこはこの世界でも変わらないのか。

「騎士団長のオッサンと戦ってギリギリ勝てた時は、けっこう良いところまで来てると思ったんだけどさ……侯爵サマと師匠は別格だった」

「つよかった？」

「もちろん強さっつーのもあるけど、それ以上にあの人たちの強くあるべき理由が別格だったんだよ」

強くあるべき理由……か。確かにそれはオルフェウス君とは違うものだろう。

お父様はフェルザー家の当主として強さが必要だったし、セバスさんも『影』として強くないと生きていけなかったと思う。

なるほどと頷いていると、オルフェウス君が苦笑しながら「分かってないなぁ」と言った。

「一番の理由は、お嬢サマだろ？　あの人たちは大事なものを守るために強くある必要があって、今までよりもさらに強くなった」

「……わたしの、ため」

「ああ、そうだ。お嬢サマのためだ」

なんだか胸がいっぱいになっている私の頭を、オルフェウス君がかき混ぜるようにワシャワシャと撫でる。

「だから俺はもっともっと強くなる。あの人たちのように、いつか守りたいと思える存在に出会った時、絶対に後悔したくないからな」

「そっか。がんばってね」

「おう」

「セバシュ、おにだから」

「……おう」

日頃の様子を鑑（かんが）みての応援だったけど、やっぱりセバスさんは鬼教師なんだなと再確認した。レベチ（レベルが違う）ってやつだね。

ところで、オルフェウス君はこの世界の神々からたくさん祝福をもらっているはずなんだけどなぁ。

……なんて考えていたら、当の本人が大きなため息を吐（つ）いてらっしゃる。

「俺さ、これでも昔は魔力が高かったんだぜ。魔法もそれなりに使えるだろうって言われていたくらいでさ」

「すごいね！」

「それが今はまったくすごくないんだよなぁ……。洗礼の儀の時、何か知らねぇけど神々が先を争うように俺に祝福をかけてきたんだ」

「なにそれ……」

自分がキャラに設定したことが、まさか……。

「それから魔力はあっても魔法が使えなくなった。加護やら祝福やらが邪魔するんだよ。こりゃもう呪いかって思った。まぁ、それ以上に体はやたら丈夫になったけどな」

申し訳ない気持ちになったけど、もしかしたらそのおかげでセバスさんの修行に耐えることができているのかもしれない。

丈夫な体にした私、グッジョブじゃない？

「俺以外の人間なら、日に数十回は死んでると思う攻撃をくらうけどな」

やりすぎ！　やりすぎですよセバスさん！

12　思わぬ再会に戸惑う幼女

さて、振り出しに戻ってしまった遺跡『試練の館』についてですが。

甘いものを食べて疲れた体が回復してきたところで、立ち上がったオルフェウス君が周囲の気配を再度確認している。

「相変わらず、ここには俺たちしかいないみたいだな」

「はぁ……ベルとうさま、だいじょうぶかな……」

「そろそろ急がないとヤバいだろうな」

壁にある古代文字をぼんやり眺めていると、ふと飾り文字の花の部分に目がいく。

花……花かぁ……。

砂漠に花は咲くのだろうか……。

名前に花って付いているけど『ビアンの花』は石みたいなやつだし……。

「あぁっ!!」

「なっ、何だっ!?」

ここに来る前にオルフェウス君がちゃっかりもらった大きな『ビアンの花』を、荷物袋から取り出して眺めてみる。

壁にあるのは細長い菱形(ひしがた)を並べたような花の模様で、それは水晶を集めたような形の『ビアンの花』によく似ていた。

おそるおそる壁に近づけると、私のまわりにあるぼんやりとした光が花の模様になっているところに散らばっていく。

「これはまさか……地図か？」

素早くメモを取り出して光っている部分を書き写していくオルフェウス君。

彼が冒険者の中でも優秀である理由は、前衛で戦うこともできれば周囲の状況を素早く把握(はあく)する斥候(スカウト)も担えるという部分が大きい。

その才能をいかんなく発揮したオルフェウス君は、最低限の必要な情報を書き写して簡単な地図を作り上げた。

「なるほど。さっき俺たちは真っ直(す)ぐ歩いただけだったが、もしかしたら法則があったのかもしれない」

「このちずで、いける？」

「試してみる価値はあるだろ」

「でも、ここ、すごくひろいよ？」

壁に浮かんだ光の地図は道順を示しているようだけど、この部屋だか敷地は道のようなものがない。

つまり、目印になるようなものが無いのだ。

「道がなくても地図と同じように進まないと先に進めないのかもな……いや、ちょっと待て」

「う？」

「お嬢サマの『ビアンの花』を見せてくれ」

さっきから手に持ったままの『ビアンの花』は、ぼんやりとした光を放っている。

オルフェウス君が手に取ると、周りの光が急に消えてパニックになりそうだった。真っ暗闇の中だと、小さな光でも大事なんだなぁと思った次第であります。ぶるぶる。

「悪い。返すから」

「はぁー、びっくりしたぁー」

オルフェウス君から『ビアンの花』を返してもらうと、ふたたび光ったのでホッとする。

心は陰キャでも、しょせん私は光（に憧れる）の民なんだよね……。

「お嬢様は『ビアンの花』を手に持っていてくれ。俺はこの地図を頼りに進んでみる」

「いっしょに、あるく？」

「離れてまた転移でバラバラにされたら困る。侯爵サマじゃなくて悪いけど、肩に乗っててくれよ」

え？　肩に、のる？

呆気にとられているがしかし超冷静にオルフェウス君の若々しい筋肉を登る私です。

うむ。なかなかの首肩まわりの筋肉をお持ちですね！（にっこり）

「かたぐるま、はじめてです」

「え、マジか。侯爵サマに言うなよ。絶対だぞ」

それは絶対言うなよという、芸人的な「言ってもいい」前フリですか？

「俺が殺されてもいいなら言ってもいいけど」

言いません！　ごめんなさい！

そんなやり取りをしながらも、優秀な冒険者であるオルフェウス君はすたすたと地図に沿って歩いていく。

壁の模様と同じように進むと、歩いた跡がぼんやりと光り、線となって残っていくではありませんか。

「はぁ、これが正解か。勘弁してくれ」

「つぎのへやにいけるのかな？」

目の前に現れたのは大きな扉だ。

さっきまで暗闇だった場所にとうとつに現れたものだから、びっくりしてオルフェウス君の肩から転がり落ちるところでしたよ。

「最初に見た床の絵と同じ感じだな」

「じゃあ、めをあわせるの？」

「そうだな。絵に描かれている目の部分に合わせてみてくれ」

ううう、最初の眩しいやつを思い出して気が進まないのでありますが……。

「急がねぇとヤバいぞ。おもに侯爵サマが」

「が、がんばりまする」

光がビガーッとなるけど、がまんがまん……。

オルフェウス君にしっかりと抱えられた私は、扉に描かれた絵の「目」に自分のを合わせる。

すると何ということでしょう。

暗闇だった部分はどんどん明るくなり、それと同時にまわりの空気はどんどん暖かくなっていく。

そしてどこか懐かしい、とてもいい香りに包まれていって、それから、それから……。


「ユリアーナ？」

「んー」

「疲れているところ悪いが、起きてほしい」

「んーん」

ここ、なんだかとてもいい匂いがするので、もうしばらく嗅がせてくださいくんかくんか。

「まるで子犬のようだな……。困った。かわいいからこのまま寝かせておくしか方法がない」

「何言ってんだ御子息サマ。話が進まなくなるから早く起こせ」

「貴様、ユリアーナと二人きりで何をしていたんだ！」

「何かあったら大問題だろうが！　それに俺はデカいほうが好みだ！」

「なっ⁉　ユリアーナのどこが不満だ!!」

「あー！　もー！　面倒くせぇなフェルザー家!!」

えへへ、何だかんだいってオルフェウス君ったらお兄様と仲良しなんだから……。

ん？　お兄様？


「えーっ⁉　なんでおにいしゃまがっ⁉」

「あ、起きた」

「ユリアーナ、無事で何よりだ」

急に起き上がったからか、ふらふらと視界が揺れる。

そこにふんわりと背中を支えてくれたのは、真っ白な髪をした王子様みたいな微笑みを浮かべている男の子。

「とりのむすこしゃんまで⁉」

「お久しぶりです。姫君」

13　閉じ込められた幼女たち

思わぬ再会に驚く私は、目を丸くしているヨハンお兄様とお師匠様の息子さんを交互に見る。そしてこのお部屋、とてもいい匂いがしますね。くんかくんか。

「どうして、おにいしゃまと、とりのむすこしゃんが？」

「それはこちらが聞きたいくらいだ。ユリアーナ」

お兄様の言葉にまわりを見れば見慣れた家具が置かれておりまして……。

「ここ、ベルとうさまの、おへや？」

「そうだ。ここは父上の執務室で、先ほどユリアーナたちが突然現れた」

なるほど。いい匂いがしていると思ったのは、お父様（の残り香）とお兄様だったのね。

「御子息サマ、俺たちは砂漠の遺跡にいた。そこから飛ばされてきたんだ」

「父上やセバスは？」

「はぐれた……と思う。俺とお嬢サマだけ別行動をしていて、今の今まで状況が把握できていない。申し訳ないと思っている」

「貴様、それで済むと思っているのか？」

「俺はどうなってもいいから、侯爵サマたちがどうなっているのか調べるのに協力してほしい」

あれれー？　おかしいぞー？

状況を話しているオルフェウス君に対して、お兄様の当たりがどんどん強くなっていく気がするのですが？

「おにいしゃま、ちがうの」

「ユリアーナ？」

「わるいの、わたしなの」

これに関しては、ビアン国の王様とアケト叔父さんが困っているからって、ほいほいと遺跡探検に出かけた私が悪いに決まっている。

勝手に潤(うる)んでいく目を何とかまばたきで抑(おさ)えようとしていると、お兄様が困ったような表情をしながら私を抱き上げる。

「ああ、分かっている。しかし、このような事態になった場合、護衛が責任をとらされることもあると知ったほうがいい」

「うう、わかりました……ごめんしゃい、オルしゃま……」

「気にすんなって。俺はどうにでもなるから」

え？　そうなの？　どうにでもなるってすごいな。

一体どうやるんだろう？

「お嬢サマのことは俺の命に換えても守ればいいだけだから」

ぜんぜんどうにもなっていない件!!

そんなのダメです!!　幼女にトラウマ残すようなことはダメ!!　絶対!!

「ははは、冗談だって」

「そういう冗談を言うな。ユリアーナが泣く」

「大丈夫ですよ。姫君の兄上は、なんだかんだ甘い御方ですから」

お兄様の腕の中で震えている私に、鳥の息子さんが王子スマイルで優しく囁(ささや)いてくれる。そう？

それならいいんだけど……。

ほうっと小さく息を吐いて安心したところで、お兄様が口を開く。

「さて、話を進めようか」

執務室にいるのは私とオルフェウス君、そして元々ここに居たお兄様と鳥の息子さんだ。なぜ遺跡に行くことになったのかをオルフェウス君が細かく説明してくれている。さすがリーダー、頼りになります。

状況的に、何がどうなってここにいるのかは分からない。遺跡の何かが私たちをここに転移させた……と思うのだけど。

憶測でしか説明できないのがもどかしい……！

「その遺跡に行った理由は分かった。父上が反対していないということから、どのような事態になったところで誰の責任でもないだろう」

「そりゃ助かる」

「だからといって手を抜くなよ」

「そう簡単に手を抜けるかよ。師匠に殺される」

確かにセバスさんは鬼教官だからなぁ。死ぬことはないけど、死にそうな目にあったりなんかしちゃったりして？

物騒なことを考えていると、オルフェウス君がぶるりと震えて話題を切り替える。

「悪いけど、二人とも簡単な魔法を使ってみてもらえるか？」

「魔法？　それは構わないが……」

そう言ってお兄様が手を出して、首を傾げる。

「おかしい。魔力が練られない」

鳥の息子さんも得意だという風を呼ぼうとして、空気の流れが変わらないことに愕然としている。

「魔力の流れも感じられないです」

と、いうことは。

「おにいしゃまたち、いせきにいる？」

「ああ、飛ばされたのは俺たちじゃないってことかもしれないな」

オルフェウス君と顔を見合わせていると、お兄様が「ふむ」と顎に手を当てて頷いている。

「このままユリアーナと行動できるのであれば、それはそれでいいな」

「そうですね。砂漠の国には一度行ってみたかったので嬉しいです」

おぅふ。この状況についてまったく動じてない御二方には、驚くばかりでございますよ。

「なぁ、このドア調べてみてもいいか？　触らないようにするから」

「構わないが……何か分かるのか？」

「ああ、やっぱりこれはドアじゃない。壁に描いてある絵だな」

「絵だと？」

部屋の外がどうなっているのか気になっていたけど、ドアが絵だということは外に出られないってこと？

お兄様が執務机の上を調べている中、鳥の息子さんは楽しそうに本棚を触っている。

「おや、本棚も絵になってますね。すごいですよこれ。いつ描いたものでしょうか」

「置いてある書類まで絵になっているとは……。遺跡とやらは我がフェルザー家を馬鹿にしているのか」

お兄様、落ち着いてください。

そういう罠みたいなものだと思うので、感情的になったら負けな気がしますよ。

「まさか確認済みの書類まで絵になっているんじゃないだろうな」

お、お兄様、殺気が……。

私はドアが絵になっているなら窓はどうなっているのか、確認しようとしてザラッとした感触に思わず声をあげてしまう。

なんだこれすごいよ。本物みたいな窓と外の風景だよ。

やけに懐かしく感じるお屋敷の広い庭には、お師匠様と魔法の勉強をしているいつもの東屋がある。

細かく描いてあるなぁと感心していると、茂みに庭師さんがいるのを発見する。

やっほー、元気かーいって手を振ってみたりして……って、庭師さんが手を振り返してきたよ⁉

なんでっ⁉

「お、おにいしゃま‼　まど、まどー‼」

「どうしたユリアーナ」

「あのひと、うごいたの‼」

「まさか……絵だろう？」

隣に並んだお兄様に、絵の中の庭師さんが気づいてペコリとお辞儀をしているではないか。

ほらね‼　やっぱり絵が動いているよ‼

14　祈りを届けたい幼女たち

窓と外の景色が描かれている壁に向かっている私とお兄様。はたから見ると、ちょっとシュールですな。

窓の外の絵が「動いている」ことを確認したお兄様は、外にいる庭師の「絵」に向かって両手で何やら指を動かしている。

冒険者の人たちがよく使っている手信号に似ているけど、もっと複雑な感じだ。

「フェルザー家に伝わる『影』の技だ」

「かげのわざ？」

「当主にのみ伝わっているものだ。いつかユリアーナも父上から教えてもらえるだろう」

いやいや、私は当主にならないですよ？

ぷるぷる首を振っていると、お兄様は不思議そうに私を見ている。

「ユリアーナは屋敷にいるのだろう？　父上がそう言っていた」

「……おいおい、いくらなんでもお嬢サマはいつか嫁に行くだろうが」

「……この親子なら有り得る話だと思いますよ」

オルフェウス君と鳥の息子さんが何かヒソヒソと話している。いつの間に仲良くなったのかしら？

なんてことはさて置いて。

今の私はそれどころじゃないのです。

なぜならこの時の私は、お父様が「ずっとお屋敷にいてもいい」と言ってくれていることに希望を見出していたからでありまして。

独り立ちをしなきゃと焦っていたけれど、これならもう少しのんびりとお屋敷ライフを送っていてもいいのかもしれない。

やったぜ!!

「ユリアーナ、窓から離れていろ」

「あい」

不意にお兄様から声をかけられた私は、優雅なステップ（?）で後ろに下がる。

すると窓の近くまで庭師さん（絵）が来ているではないか！　壁に描かれた絵というのもあって、ちょっと怖い！

庭師さん（絵）は、外から窓を開けようとするけど鍵がかかっているらしく、どうしたもんかとお兄様に問いかけるように視線を向けている。

無言で頷くお兄様は、親指を上に向けて後ろにクイッと動かした。

その合図は「窓をぶっ壊せ☆」ですね？　幼女でも分かるフェルザー家の手信号、とは。

どこから持ってきたのか、庭師さん（絵）が大きなハンマーのようなもので窓を叩き割る。しかし部屋の中にガラスが飛び散ることはなく、絵の窓が割れただけだ。

「もう下がっていい」

少しガッカリしたようなお兄様の言葉に、庭師さん（絵）はペコリと一礼して去って行く。なんか無茶振りしてごめんよって思う。

「遺跡はビアン国の王家に対する試練だと思うぞ。俺、ここには謎解きをして来たって話しをしたよな？」

「ヨハン様は意外と頭脳より肉体を使う派なのですよ」

呆れた様子のオルフェウス君に、鳥の息子さんがフォローにならないようなフォローをしている。

「思いつくことは何でもやったほうがいい。我らは命の危険がないのは分かっているのだから」

「は？　なんでそんなことが言えるんだ？」

「王家への試練だからだ。彼の国は商人が権力を持っているのだから、失うのは命ではなく財産だろう」

何でもないことのように言うお兄様に、オルフェウス君は確かにそうだと納得している。

でも私は納得しておりませんが？？？

「姫君、彼の国では命よりも財産が大切なものとされているのです。我が国でも命の価値については議論されておりますが、彼の国ほど軽くはありません」

「いのち、だいじに」

「姫君の仰る通りでございます」

鳥の息子さんに鼻のあたまに寄ったシワをのばされながらムムと唸っていた私は、ふと目に入った本棚の絵に違和感を覚える。

「さっきとちがう」

「どうしたユリアーナ」

隙あらば抱っこの流れはお父様譲りなのか、お兄様に抱きかかえられた私は本棚の絵が描かれている壁に近づいてもらう。

やっぱり、さっきよりも色が濃い。

「絵の窓が開いたことにより、光が多く入っているのでしょう」

「本は日光に弱いから、あまり当てたくはないのだが……なるほど、そういうことか」

鳥の息子さんの言葉に、お兄様は何かを納得したようだ。

私はまだ分かっておりませんよ。

「所々、背表紙の文字が光っている。この文字を組み合わせれば、何か分かるだろう」

「文字を書き起こし……ああ！　絵になっているのでペンも紙もありません！」

お兄様の言葉に鳥の息子さんがメモを取ろうとして失敗している。するとオルフェウス君が荷物袋の中から探索に使うメモ帳とペンを取り出した。

「俺が書くから、読み上げてくれ」

お兄様と鳥の息子さん、そして私も一緒に本棚に並ぶ背表紙の中で、光る文字をピックアップしていく。

「文字の並びはどうなっているんだ？」

「まずは発行された年代順に並べようか」

背表紙だけでその本の年代まで分かってしまうお兄様、さすがすぎるのですが。

抱っこされたまま、お兄様の顔をキラキラとした目（当社比）で見つめていると、目もとを赤くして顔を背けられてしまった。あらあら、お兄様ったら照れ屋さんですね。

お兄様の言葉に文字を並べ替えているオルフェウス君は、眉間にシワを寄せている。

「よ、め、が……嫁ってなんだ？」

「いえ、これは逆から読んで『かみをあがめよ』だと思いますよ」

「神？　どの神だ？」

ささっと答えを出す鳥の息子さん。そして神とはなんぞやって話なんですけど。

この世界の神は「たくさん」いる。

教会や神殿はそれらをまとめて祀っていて、色々な神を信仰する人たちが皆等しく祈ることができる場でもある。

個人的にはティアのお父さんが主としている神は何なのかが気になるところ。

「ここで神といえば、ひとつしかないだろうなぁ」

「……確かに」

「そうですね」

「う？」

オルフェウス君の言葉に、深く頷くお兄様と鳥の息子さん。そして首を傾げる私。

「じゃあ祈ろうぜ」

「祈るか」

「祈りましょう」

「う？」

三人の男子たちよ。なぜ私に向かって祈るのか。

15　気づけばお花畑でシリアス幼女

気がつくと、暖かな日の光に満ちた花畑に寝転んでいた。

まわりには木々があり、遠くには森が見えている。なんとも開放感あふれる景色なのだけど……。

「あれ？」

がばっと起き上がると、少し離れた場所でオルフェウス君も同じように周りを見ている。

私に気づいて素早く近づき、怪我がないか目視している。（仮にも）侯爵令嬢なので、緊急時以外むやみやたらに触れてはならないのだ。

「お嬢サマ、無事か？」

「わたしはだいじょうぶ。ここにはオルさまだけ？」

「……はぐれたのか、あのまま屋敷にいるかだな」

お兄様と鳥の息子さんの姿が見えないことに衝撃を受ける。

どうにかして無事かどうか分からないものかと、立ち上がろうとしたらよろけてしまった。なんだか頭がふらふらする感じ。

「無理すんな。俺が運んでやるから」

オルフェウス君の場合、抱っこするというよりも荷物運びの感覚なのが面白い。くすくす笑っていると「元気じゃねぇか」と額を小突かれる。

そう。我らが主人公（だった）オルフェウス君は、基本的に女子相手でも甘くすることはない。すべてに対して平等なのだ。

まぁ、そんな彼はいつか出会う運命の女性に対してデロデロに甘くなるんだけどね。ムフフ。

……という設定だったような気がする。

「向こうに教会が見える。人がいるかもしれない」

「おにいしゃま……」

「今は分からねぇけど、ちゃんと捜すから待ってろ」

「ありがと」

でも無理はしないでねって、言わなくても分かったみたいで背中をぽんぽんと叩いてくれた。こういうとこやぞオルフェウス君！（言ってみたかっただけ）

教会の外観はどこかで見たことのあるような感じで、ふんわり思い出したのはティアのお父さんと初めて会った所と似ているなぁ……と思っていたのが悪かったのか。

「あっらー！　お久しぶりじゃなーい！」

なんとびっくり！　ストロベリーブロンドをなびかせた、ムチムチわがままボディーの持ち主の登場だ！

あまりにも盛り上がりすぎている大胸筋に目を奪われ、一瞬頭が真っ白になったよ。

突然の出来事に対し、オルフェウス君なんて剣を抜こうとしたからね。ハハッ。

まぁ、幼女を抱っこしているから剣を抜くところまではいかなかったんだと思うけど。危険が危ないところでした。（やや混乱中）

「うーん、危なかったけど合格よ！」

やはり何かのテストだったのだろうか。

教会はどこも同じ造りをしているのか、やっぱり前にお菓子を寄付した所とよく似ているなぁと思う。外にある花畑のある景色は見たことがないけどね。

オルフェウス君の腕をペシペシ叩いて合図を送り、床に立たせてもらうと「おひさしぶりです。クリスしんかんさま」と丁寧に挨拶をする。ティアのお父さんだからって油断したら痛い目をみるのだ。

実はこの業界（？）、挨拶や礼儀に厳しいのじゃよ。

だのになぜ、粗野な態度をとっているオルフェウス君は怒られていないのか。

「それはイイオトコは別ってところかしらん♡」

ふぉっ、ハートマークが凶悪ですよクリス神官。

つまりオルフェウス君はイイオトコだから、多少の無作法は見逃すってことでしょうか。

うん。意味が分からないよ。そして心を読まないでもろて。

「クリスティアから聞いているけど、ユリアーナ嬢は考えが顔に出過ぎなのよ」

「そんなぁー」

思わずオルフェウス君の顔を見上げると、こくりと頷かれたよ。ぐぬぬ。

「さて、そろそろ本題に入りましょうか」

「う？」

「……」

艶然（えんぜん）と微笑むクリス神官を見て、こてりと首を傾げる私と黙っているオルフェウス君。

「なぜ貴女（あなた）たちがここにいるのかしら？」

「えーと」

「お嬢サマ、少し待ってくれ。逆に俺は『なぜこの神官がここにいるのか』を知りたい」

いつになく強引に割って入ってきたオルフェウス君に、もしや情報開示に制限があるのかもしれないと気づく。なにせ事は他国の王族に関してのことなのだから。

慌てて両手でぺちりと口をおさえた私は「黙ってます！」アピールをする。

すると、クリス神官は楽しげな笑みを浮かべ、大胸筋をピクピクと動かしながら言った。

「アタシがなぜここにいるかって？　仕事で来たのよ」

「外を見たのか？　ここは閉ざされているぞ」

閉ざされている？　外はお花畑で、周りは森とか山に囲まれている感じだったけど……まさか、さっきみたいにまた全部「絵」だったとか？

「もちろん知っているわ。ここは結界が施されている特別な場所よ。この教会はその管理を担っているの」

「……それは、神官にのみ伝わる情報じゃないのか？」

「ええ、そうよ」

「なぜそれを俺たちに言ったんだ？」

「フェルザー家のご令嬢に関わることは、アタシたち神官にとって優先すべきことだから」

「ああ、天啓か。ティアも……クリス神官の娘もそんなことを言っていたな」

ピリピリしていたオルフェウス君の雰囲気が柔らかく変化したのを感じる。お兄様たちの時は大丈夫だったのに……と見上げていると、彼は肩をすくめてみせる。

「悪いな。俺の感覚で警戒する時としない時があるんだ」

「しんかんさま、わるいひとじゃないよ」

「あら、ずいぶんアタシの評価が高いのねぇ」

「だって、ティア、いいこだもの」

「……ありがとうございます。ユリアーナ嬢」

スッと跪いたクリス神官は、美しい動作で神官の祈りの姿勢をとる。

こうやっていると、お父様とはまた違った素敵な筋肉イケオジなのだけど……。ティアに見せてあげたいなぁ。

「なぁ、教会にいるのはクリス神官だけか？」

「そうよ。今月はアタシが当番だし、結界の中にいるのは三人しかいないはずだけど」

「わかるの？」

「奥にある水晶玉に情報が出ているのよ。それにこれは、良からぬものが入り込んだら反応するようにもなっているから」

礼拝堂になっているこの場所の奥、色々な神様の像が飾ってある真ん中に水晶は置かれている。

近づいてみると白く小さな光が三つあるから、これが私たちの印なのだろう。

「それにしても……ここまで強く警戒している理由はなんだ？」

「ここは『魔王の残滓（ざんし）』と呼ばれるものが安置されているの」

「魔王⁉　なんつーところに置いているんだよ‼　ここは王都からそんなに離れてないはずだろう⁉」

え、そうなの？　ここからお屋敷に帰れたりするのかな。（ややホームシック気味）

「どこにあるのかは聞かないでちょうだい。知らないほうがいいと思うから」

「知りたくもねぇよ……。そういうのは王宮に封印されているんだと思っていたのに……」

「王宮も安全じゃないってことで、いくつか分散しているのよ。これまで定期的に最上級の「祈り」と「浄化」ができる神官を王宮へ派遣していたけど、それだと間に合いそうにないから手分けして毎日浄化をかけていくことにしたの」

「まにあわない？　なにに？」

私が首をこてりと傾げると、クリス神官は笑みを消して小さな声で言った。

「魔王の復活」

16　身内の存在を思い出す幼女

その言葉を聞いた瞬間、空気が変化したのが分かる。

オルフェウスが素早く身をかがめ私を守る体勢をとっているけど、まったく動じていないクリス神官はそのままの状態だ。

まさか……。

「いや、アタシはごく普通の神官よ？」

「少なくとも普通じゃないだろうが」

魔王の仲間？　なんて思ったけど。そもそも魔王という存在に仲間なんて可愛いものはいない。

アレは唯一であり全てである。そう設定されているはずだ。

魔王信仰している人族は道具として使われるならまだいいほうで、多くの者は糧にされて終わりなはず。

神妙な顔をしていると、クリス神官は「困ったわね」と言って、まったく困っていないような笑顔を私に向ける。

「思った以上に知識を得てしまっているのね」

「お嬢サマは特別だって、師匠も言っていたからな」

「あと勘違いしているようだけど」

そう言ってクリス神官は、ムキムキに盛り上がっている大胸筋をピクピクッと動かす。

「……何だ？」

「かんちがい？　かんちがいってなぁに？」

警戒したままのオルフェウス君の後ろから、ひょっこりと顔を覗かせる私。

「二人とも理由があってここに来たと思っているかもしれないけれど、たぶん間違いよ」

「なぜ分かるんだ？」

「アタシ、こう見えても高位の神官なの。必死に祈らなくとも『天啓』を受ける程度には」

つまり、クリス神官は『私たちがなぜここに来たのか』が分かるってこと？

「おにいさまたちが、どこにいるのかわかる？」

「フェルザー家の御子息は、フェルザー家の本邸にいらっしゃるわね」

確かに、さっきまで一緒にいたあの場所はお屋敷だった……と思う。

私がムムムと唸っていると、すかさずオルフェウス君がクリス神官に詰め寄る。

「なら、俺たちがここにきた原因はなんなんだ？」

「アタシが得た情報では『ビアン国の王族』によるものだとあるけど」

「間違いない。俺らはその王族に言われて動いているぞ」

そうだよ。アケト叔父さんに言われて、王族しか入れない遺跡に入って……それから？

叔父さんからは「危険はない」と言われていた。儀式を行う場所に行くだけなのだと。

だから荷物も最低限のものだし、私たちは魔法も使えなくて……。

「えいっ」

「つめてっ！」

教会の中を流れる魔力を指でつまみ、こねてそのままピーンとオルフェウス君に向けて弾き飛ばした。

「まほう、つかえる」

「はぁ？　じゃあここはビアン国の遺跡の外なのか？」

遺跡の外というか、ここに来た時の場所は明らかに「外」だったと思うけど……。

「ビアン国の遺跡？　ずいぶん遠くから来たのね。お茶も出さずにごめんなさい」

「おきになさらずー」

それでも疲れているだろうと、礼拝堂の横にある談話室に通してくれたクリス神官は、お手製
（！）生ハムとチーズをパンに挟んだものと温かい紅茶を用意してくれる。やさしいぞクリス神官。

「まほうがつかえるなら、いどうもできる？　んぐっ」

「今のうちに食っておけよ。冒険者ってのは食える時に食っておくものだ」

「冒険者じゃなくてご令嬢じゃないの？」

オルフェウス君が口に突っ込んできた生ハムチーズサンドを、おとなしくモギュモギュ食べる私。

うん、おいしい。

教会には保存食がたんまりあるようで、年代物のワインもあるとか。オルフェウス君が飲みたそうにしているけど、さすがに今じゃないことは分かっているのか何も言わずにいる。

ちなみにクリス神官は水のようにワインを飲んでらっしゃいますが。

「何度も言うけど、ここは厳重な結界が張ってあるの。小さな魔法を使うのならともかく、大きな魔力を使うものは禁止されているからね」

「まほう、つかえないのかぁ……」

「お嬢サマを泣かすなよ。オッサン」

「泣いてないじゃない！　あとオッサンじゃなくてクリスたんって呼びなさいよ！」

クリス神官は怒りながらもデザートのプリンを用意してくれている。なんだかんだ言いながらも世話好きなパパ属性ムキムキなのよね。

「それにしても……遺跡にいる俺たちを引っ張り出したのは誰なんだ？　俺らの知っている王族は、そこまで魔力が高くなかったような……」

オルフェウス君って人の魔力量を感じることができたっけ？

私の疑問に脳内セバスさんが親指を立てている。なるほど、師匠が仕込んだやつですね。了解です。

「魔力が高くないって……そんなわけないでしょ。予言者と名高い女性は、かなりの魔力量だって話じゃない」

「ビアン国にいる予言者の話は聞いた事があるが……」

「たかいまりょく……おうぞく……」

どこかで聞いたことがあるような気がする。高い魔力を持つ王族で、予言者で……？

「あ、おもいだした」

「どうした？　お嬢サマ」

「まえに、アケトおじさんのおばあさんが、たかいまりょくをもつ、よげんしゃだっておしえてもらったことある」

いつのことだか思い出してみると、この世界で目覚めてからしばらくして、王宮にアケト叔父さんと母だった人が乗り込んで来たことがあった。

確かその時、私の持つ高い魔力は血筋じゃないかって言われたんだよ。

「ん？　俺が持っている情報だと、ビアン国の予言の巫女に今代の王がご執心って話だったぞ」

「間違いじゃないわよ。ビアン国には予言者が二人いるって話だから。今代の王が王になる手助けをしたのは、第二の予言の巫女だとされているわね」

なるほど。そういうことだったのね。

ところでこの詳しすぎる解説。クリス神官ったら情報通すぎやしないかい？

「元とはいえ巡礼神官だったのよ。各国の情報を得る伝手くらい持っているわ」

「冒険者ギルドの管轄の情報屋よりも情報通って、オッサン何者だよ……」

ティアに聞いたら教えてくれるかもだけど、もしかしたら巡礼神官って戦国時代の忍びみたいなこともやっているのかもしれない。
あらあらうふふの笑顔の裏で……ティア、おそろしい子！（言ってみたかった）
デザートのプリンを食べ終えたところで、さてどうしようかと追加の紅茶をいただいていると、やっと来ましたよ。
件の御方が。

17　繋がりを知る幼女

「はぁ、やっと来れたぁ。あなた達、ここにあるモノに引っ張られちゃったのね」

現れたのは、真っ白な長い髪を綺麗に結っている老婦人だった。

白を基調とした細かな刺繍が入っているビアン国特有の布を身につけ、たくさんの小さな揺れる宝石が動くたびにシャランシャランと涼しげに鳴っている。

そんな彼女がどこから来たのかというと、テーブルの下から出てきたもんだから、オルフェウス君は文字通り椅子から跳び上がっていたよね。

私？　私は微動だにしておりません。なぜなら驚きすぎて座ったまま腰を抜かしていたからですが何か？

「とんでもないところから出て来られましたね。大丈夫ですか？」

「ええ、ご親切にありがとう。神官さん」

さすがに口調が丁寧になるクリス神官。

確かにこの御方は王族だからね。オルフェウス君が目をパチクリさせているけど、そろそろ自己紹介をお願いしたいものです。

「私のことはカイナと呼んでちょうだい」

「カイナおばあさま？」

「ええ、そうですよぉ。ユリアーナちゃんのカイナお祖母様ですよぉ」

ほわりと微笑むその姿は予言の巫女というよりも、ひ孫に会えた田舎のおばあちゃんにしか見えない。

「あらあらまぁまぁ、なんてかわいいのかしら」

「え、えっと」

軽く人見知りモードになっている私は、意外と素早く近づくカイナお祖母様を避けられない……と思う間もなく、再起動したオルフェウス君に抱っこされていた。

悲しげな顔をするカイナお祖母様に心が痛むけど、本物の親族なのかを確認しないことには話が進まないのですよ。

護衛として正しい仕事をしているオルフェウス君も、なんともいえない表情をしている。まぁ、登場がテーブルの下からだったもんね……。

「信用してもらえるとありがたいのだけど……。早くしないと、私の孫たちが氷漬けにされちゃうと思うの」

「はっ！　ベルとうさまが、ぼうそうしちゃう！」

「王族の試練とやらが急展開すぎて、侯爵サマの存在をすっかり忘れていたよな。俺たち」

カイナお祖母様の言葉に慌てる私と、みるみるうちに顔色が悪くなるオルフェウス君。

そんなに怖いかお父様が。うん、確かに怖い時はある……かも？　私にとっては優しいお父様なので感想には個人差があります。

フェルザー家の氷魔（ひょうま）なんて呼ばれているお父様だけど、いきなり相手を氷漬けにはしないと思うよ。だから私たちが消えた理由を握っているかもしれないアケト叔父さんを、今すぐどうこうするとは思えないのだけど……。

いや、それよりも私たちが今ここにいる原因とされている人って、目の前にいるカイナお祖母様なのでは？

「うふふ、そうなのよねぇ。でも、私は助けに入ったつもりなのだけど……あの遺跡には、よからぬモノが入り込んでいたから危ないところだったのよ」

「よからぬモノってなんだ？　俺はずっと探知していたが悪意や害意は感じなかったぞ」

「悪いものじゃないわよ。今のところは、だけどね」

そう言って、カイナお祖母様は優雅にオルフェウスくんの胸当てに付いていた「何か」を指でつまむと、はいどうぞと言ってクリス神官に渡す。

「やだ、なにこれ『ハイイロ』の布じゃないの！　ご婦人ったら、ダメよ素手で持ったら！」

「大丈夫。これでも私は『予言の巫女』と呼ばれているのよ」

カイナお祖母様ったら、そんなお気軽に触るな危険物みたいなモノを簡単に渡しちゃうとか、さすがのクリス神官も驚くだろうて。

すぐさま『祈り』を発動させたクリス神官は、血走った目を私たちに向けてくる。

「他には無いっ⁉　すぐに封印しないと、ここも危険な状態になる‼」

「え、いや、急に言われても……」

「んー、わかんないー」

すっかりオネエ口調が消えているクリス神官。彼の切羽詰まった感じにオルフェウス君と私がそろって首を傾げていると、カイナお祖母様からの助け舟が。

「落ち着いてちょうだい。本当はハイイロだけを引っ張り上げようとしたのに、二人を巻き込んでしまっただけなのよ。だから大丈夫」

「はぁ……何がどう大丈夫なのか、さっぱり分からないわ……」

「それより、この素敵なお茶会に私もお呼ばれされたいのだけど。神官さん、よろしくね？」

「……お茶を淹れ直してくるわ」

ムチムチしている大胸筋をすっかり萎ませてしまったクリス神官は、とぼとぼと部屋を出ていく。

とはいえ、隣の部屋にある小さなキッチンスペースにいるから、何かあれば飛んできてくれるだろう。オネエの不思議パワー的なやつとかで。（適当すぎる）

「さてさて、今回の一件、お二人を巻き込んでごめんなさいね」

「なぁ、アンタは本当にお嬢サマの血縁者なのか？」

うん。私も思っていた。

確かに、心の中では「カイナお祖母様」と何度も呼んでいるけど表に出していない。私自身に抵抗があるからというよりも、彼女の雰囲気がほんの少しだけ距離を感じるからだ。

「血が繋がっているのかと聞かれたら是と答えるわ。でも私は先々代の王の妃ではあるけど子どもは居ないの。あの王の子は私の姉が産んでいたから……」

先々代から二代続いて、王の行いは酷いものだったと聞いている。カイナお祖母様のお姉さんも愚王の犠牲者だったのだろう。でも、それを表に出すことはなく、ただ静かに語っている彼女には強さと悲しさを感じた。

カイナお祖母様の話を聞いたオルフェウス君は、ペコリと頭を下げる。

「すみません。事情を知らないとはいえ、大変失礼いたしました」

「ふふふ、急に丁寧になったわね。さっきのままでよいのに……冒険者とは、そういうものでしょう？」

柔らかく微笑むカイナお祖母様の膝に思わず飛びつく。

「カイナおばあさま！　ユリアーナがいます！」

「ユリアーナちゃんは優しい子ね。ありがとう」

声を震わせながら私を撫でてくれる手は、とてもあたたかい。お父様たちとは違うけど、安心できる温もりだ。

しばらく撫でてくれたカイナお祖母様は、ふと気づいたように「そうそう忘れていたわ！」などと重大発言をかましてくださる。

「ユリアーナちゃんに会ったら言おうと思っていたの。竜族のものはアケトが黒い竜に渡したと言っていたから大丈夫よ。しっかり封もしたから安心してね」

竜族のもの？？？

首を傾げすぎてよろける私を、カイナお祖母様はふわりと抱き上げて膝にのせてくれる。おお、意外と力持ち。

「ユリアーナちゃんが頼んだことでしょ？　巻物を竜族に返してほしいって」

「あーっ！　まきもの！」

思い出したよ！　北の山の向こうに住む竜族の長から借りていた『世界の理』を変える時に必要な巻物！

あの時、『記憶乃柱』に吸い込まれて、向こう側に人が見えたから思わず頼んでしまったけど、あれはカイナお祖母様だったのね……。

「うわぁ、ほんとうに、ありがとうございますぅ……ごめんしゃいぃ……」

「ユリアーナちゃん大変そうだったもの。これくらい気にしないでいいのよ」

うっかり忘れていた自分の無責任っぷりに落ち込んでいると、カイナお祖母様は優しく背中をぽんぽんしてくれる。

「まだこんなに小さいのに、たくさん大変なことに巻き込まれて……子どもはもっと自由でいいのに……大人たちのせいでごめんなさいね」

「カイナおばあさま……」

ずっと警戒していたオルフェウス君も、様子を見ていたクリス神官も、カイナお祖母様の言葉に何かを感じたのかもしれない。さっきまで張り詰めていた部屋の空気が緩むのを感じる。

だがしかし、その平和な時間はすぐに破られるのであった。

◇氷の侯爵様は成長する

気づけば暗闇の中にいた。

近くに人の気配が二つあり、両方とも見知ったものであることを確認する。

「旦那様、どうやら我らは遺跡の中にいるようです」

「ユリアは？」

「引き離されたかと」

もう一つの気配をどうしようかと思う前に、セバスが対処していたようだ。

彼女……巡礼神官のクリスティアは、セバスに介抱されながらもかなり動揺している。しかし短時間で事態をすぐに把握し、自らを落ち着かせていたのはユリアーナの友人として合格点を与えたいと思う。

その彼女が、すぐに意見を申し出てきたことに驚いた。さすが若くして巡礼神官の資格を得ているだけのことはある。

「閣下、『祈り』でお嬢様をお捜ししますか？」

「今は現在地の把握に努めよう。あちらにはセバスの弟子がいるのだろう？」

暗闇の中でもセバスが一礼する気配がした。

「不肖の弟子ではありますが、弱いながらも『影』の連絡が届いております。お嬢様と行動を共にしているようです」

「うむ。この遺跡の意図で別れたものなら、後で合流できるか攻略後に合流出来るだろう。王族への試練は、知識が必要なことが多い」

私ではなくセバスの弟子が共にいるということは、それらの知識がユリアーナに必要なのだろう。

精霊たちがいれば、お互い行き来もできるが、今は出来ないことを考えても仕方がない。

まぁいい。ユリアーナに傷ひとつでもつけたらどうなるか、奴も分かっているだろうからな。

面白くはないが、ここは奴に任せることにする。

「どうか、お手やわらかに」

「弟子に甘くなってきたな」

「ティア嬢から、我が弟子は多くの加護を持っていると聞いておりますので」

それは初耳だ。

確かに同年代の冒険者たちを見ると、奴は群を抜いて強いとは思っていたが……。

暗闇に目が慣れてきたことにより、ぼんやりと二人が見えてくる。

「巡礼神官殿は、なぜ今その情報を私に？」

「お嬢様のことをご心配かと思いまして……オルリーダーには後で謝ります」

なるほど。私が暴走しないよう個人的な情報を提供してきたのか。すでにセバスに伝えてあったということは……まぁ、気にしないでおこう。

「ならば神官殿の体調が回復次第、遺跡の探索に入ろうか」

「かしこまりました」

「あ、あの、私はもう大丈夫ですが……」

慌てている彼女に対し、私は何でもないことのように告げる。

「まだ一人で立ち上がれないのだろう？　無理をすることはない」

「……え？」

セバスのことだ。きっと必要だからこそ行っていることであり、その行為については特に私から何も言うことはないと思っている。

以前の私ならば色々言ったかもしれない。しかし、我が唯一であるユリアーナと出会ったことで私も成長したのだ。

「お、おろしてください！　セバス様！」

「よろしいのですか？　まだふらついているようですし、お顔も赤いようですが」

「だ、だ、だだだだいじょうぶでしゅ！」

ふむ、ユリアーナもしっかりと話せるようになってきたが、前のような話しかたも愛らしかったものだ。

彼女が落ち着くまで休憩として、その後は遺跡の探索に集中することにした。


ビアン国の王族は、どうやってこの遺跡を攻略したのだろうか。

思わず出てしまうため息を押し殺し、ただ周囲の探索という地道な作業を続けていく。

「魔法は使えませんし、手持ちのランタンで光を当てれば周囲の闇がさらに濃くなりますね」

「試練というだけあって『祈り』も制限されてしまうようです。周囲を明るくするような『祈り』は使えなかったので……」

「もしや王族であれば、何か道を示すものがあるのか？」

我らは王族どころかビアン国の人間でもない。

もしや失敗だったか？　とも思ったが、王族であるアケトが我らの同行に何も言わなかったし、それはないだろう。

時間の感覚が無くなっていく。

急ぐべきだという心の声と、落ち着けという理性が闘っている間に、時間はどんどん過ぎていくように感じる。

「セバス」

「時を刻むものは、すべて別々の時間を指しております。この空間が特殊なものである可能性があるかと」

「神官殿の『祈り』が届かないという理由にもなる、か」

魔法どころか精霊も遺跡は拒否していた。

しかしそこまでの制限がある中で、人を害するような仕組みではないのはありがたい。

考えるべきことは、どうすれば遺跡を攻略できるのか……その一点になるからだ。

「旦那様、向こう側の壁が光っております」

セバスが指し示す方向は、暗闇に慣れた目には明るすぎるくらいだった。

なんとか目を慣らした私は、光る壁のある場所が「最初にいた所」だと気づく。

「……この遺跡を造った者どもは性格が悪いな」

「同意いたします」

「ですが、明るい場所があると心が落ち着きますね」

彼女が近づいたその時、壁の一部に光が集まり、それが床に落ちて一筋の道のようになっていく。

もしやこれは……。

「何となく感じたことだが、ここで変化が起きたのはユリアたちが次の場所へ進んだからではないだろうか」

「同意いたします」

「それは……そうかも、しれませんね……」

いつになく力が抜けたようなセバスに、私は我慢していた息を思い切り吐き出してやる。

まったく、この遺跡を造った者どもに極大の氷魔法をぶつけてやりたいくらいだ。

光る床を辿(たど)って行くと、大きな扉が現れる。

手で押すまでもなく、勝手に開いたその向こうには……。


我が息子がいた。

◇氷の侯爵様は氷の御子息と語らう

ドアの向こうにいたのは、我が息子ヨハンとペンドラゴンの息子だった。

部屋の内装を見ればフェルザー家の本邸にある執務室だと分かる。しかし、どこか違和感を覚えるのはなぜだろうか……。

「ヨハン」

「父上！　先ほどユリアーナがここにいたのですが、気づけば消えておりまして……」

顔色を青くしている息子ヨハンに、私は落ち着かせようと頭に手を置く。

「ち、父上？」

「落ち着け。ユリアは無事だ」

慌てるヨハンの頭を撫でてやりながら、私は油断なく周囲の気配を探る。

先ほどまでユリアーナがいたという気配は残っていた。そして手にある感覚から幻覚ではないことを知る。

我らが屋敷に転移したわけではなく、ヨハンたちが巻き込まれたのか、もしくは……。

驚きから立ち直ったらしいペンドラゴンの息子が口を開く。

「侯爵様、このような事態なので、ご挨拶は省かせていただきます」

「かまわない」

「ありがとうございます。ユリアーナ姫からのお話では、ビアン国の遺跡で試練を受けていたところだったと。そこで姫に関わる御子息と私が呼ばれたと思われます」

「呼ばれた？　やはりここは遺跡の中か」

「はい。部屋の中にあるものは全て絵のようになっています。このように置いてある書類も絵として描かれたもののようです」

違和感の原因はこれか。しかし、絵として描かれているはずの窓から、うちの庭師らしきものが動いているのだが。

「父上、外にいる人間はこちらに入れません。ですが、庭師とやり取りすることはできました」

「屋敷の者だったか？」

「はい」

ヨハンが私に向けて指を動かし、フェルザー家の合図を送ってきたのを見て「なるほど」と頷く。

つまり、ここは遺跡の一部であっても外部と繋がっている。ヨハンとペンドラゴンの息子が偽物だとしても、本体と連動している可能性があるということだ。

うっかり攻撃を仕掛けるところだった。セバスが止めていたとは思うが、危うくヨハンに不要な傷を与えるところだった。

しかし、ユリアーナが消えたという表現が気になる。

「先ほどユリアが消えたと言っていたが？」

「はい。ここを出る条件が神に祈ることだと判明したところまでは良かったのですが……私たちが祈っていた時、ここでは使えないはずの魔力のようなものを感じたのです」

ヨハンの言葉に、私だけではなくセバスも何かを調べている。

「魔力のようなもの、か……ここには残っていないようだが？」

「はい。私もユリアーナの行方を追おうと捜しましたが、痕跡がないため途方に暮れておりました」

ヨハンもペンドラゴンの息子も、この場に閉じ込められた状態であるにもかかわらず懸命に動こうとしていたようだ。

それだけユリアーナを大切に思っているのだろう。

すると、神官の彼女が跪いて『祈り』の姿勢をとった。

「ティア嬢、ご無理はなさらず」

「はい。ですが、ヨハン様が神に祈ることが条件だったと」

セバスが彼女の安全を確保しているため、私はヨハンを守ろうと目を向ける。するとヨハンはいつになく真剣な眼差しで私を見上げた。

「父上、お聞きしてもよろしいですか？」

「なんだ？」

「ここが夢か現実か分からないので、もしかしたら自分自身を含め、私の知っている父上ではないかもしれませんが……ユリアーナについてお聞きしたいのです」

ここまで現実感のある存在について偽物の可能性を考えるとは……さすが我が息子だ。

「ユリアのこととは何だ？」

「あの子のことを、父上はどう思っておりますか？」

「愛らしき天使であり唯一の存在だ。それはお前も知っているだろう」

「はい。ですが、ユリアーナも成長します。その時、父上はどうなさるおつもりですか？」

「どう、とは？」

疑問に疑問を返しながらも、ヨハンの言いたいことは分かっているつもりだ。

ユリアーナは魔力が高く、多くの貴族たちから自分の息子の結婚相手にと引き合いが来ている。年の差があれば断ることは簡単だ。なぜなら魔力が高い人間は長命の傾向がある。魔力暴走を起こしたあの子は、少なくとも普通の二倍は長く生きることになるだろう。

その片鱗（へんりん）はすでに外見に現れている。

成長の遅い身体に人ならざるものかと思うほどの愛らしさを備えているユリアは、かの美貌を誇るエルフ族の村でも輝きを増すばかりだった。

「父上、ユリアーナをフェルザー家に閉じ込めるおつもりですか？」

「……」

「ユリアーナは天使のように愛らしく花のように可憐で愛らしいですが、あの子の幸せが外にあるのならば、あの子が望むようにしてやるべきかと思うのです」

「あの愛らしさは危険だ。天使のごとく愛らしいユリアには、毎日のように求婚の手紙が届いているくらいだ。うかつに外にも出せぬ」

「確かに、天使を狙う輩は多いですね……」

セバスから「親子そろって愛らしいお嬢様を溺愛されてらっしゃるのは嫌というほど把握しております」などと言っているのが聞こえてくる。今は無視をしておこう。

「しかし、ユリアが望むのであれば外に出す。今回のようにな」

「え？　そうなのですか？」

ヨハンの驚いた様子に、私は心外だと小さく息を吐く。

「あの子は将来冒険者になりたいと言っていた。さすがにその願いは聞けないが、出来る限り外の世界を見せようと思った。それに……」

「それに？」

「私は強いから、すごい冒険者になれるだろうとユリアが言っていたことがある。それを成させてみるのも悪くはないだろう」

「……父上がユリアーナを一人で外に出すなどと、あり得ないことでしたね」

「ヨハン坊っちゃま……」

なぜかガクリと項垂れるヨハンに、セバスが慰めるように何かを言っている。

よく分からないが、部下のマリク直伝の「親は子の頭を撫でる」をヨハンにも積極的に行うことにしよう。顔が赤くなっているが拒否はされていないようだからな。

「旦那様、ティア嬢の『祈り』で別の扉が出現しました」

「ふむ……遺跡にあった扉と似ているな」

するとヨハンとペンドラゴンの息子は、何かを探すように部屋の中を見ている。

「父上、私には見えません」

「見えないですね……」

遺跡に入った人間ではないヨハンたちは、ここで別れることになるということだろうか。

神官の彼女が『祈り』の姿勢を解除させても、扉は消えずにそこにある。

「ヨハン、我らは先に進むようだ。直に元の場所に戻るとは思うが、念のため精霊が使える場所に出たら連絡をするように。セバス」

「はい。ヨハン坊っちゃま、いつもの方法でお願いいたします」

「わかったよセバス。あと坊っちゃまはやめてくれ」

「かしこまりました」

ヨハンの言葉に、先代のセバスから私も「坊っちゃま」と呼ばれていたことを思い出す。今はフェルザー家のいくつかある領地のひとつにいるのだが……。

「旦那様、出られますか?」

「ああ、そうしよう。神官殿も準備はできているか？　疲れなどは？」

「大丈夫です。お気遣いありがとうございます」

ユリアが大切にしている友人だ。セバスがいるから大丈夫だと思うが、私も気遣っておかねばなるまい。

なぜかセバスが「旦那様が……そのような気遣いを……」などと涙ぐんでいるのが気になるが、今は先に進むことを優先しよう。

「父上、どうかご無事で。引き続きユリアーナをよろしくお願いします」

「お気をつけて、いってらっしゃいませ」

ヨハンたちに見送られながら、私たちは扉を開けると……。

そこは、色とりどりの花が咲く庭が広がっていたのだった。

18　蜥蜴の声を聞く幼女

突然大きな音を立てて開かれたドアが、そのまま粉砕されてしまったことに声が出ないくらい驚く。

思わずカイナお祖母様にしがみつくのと、オルフェウス君が私たちの前に出るのは同時だった。

そしてドアの近くにいたクリス神官は光のドームのようなものを展開していたため、砕かれたドアの破片はこっちに来なかったよ。

すごいよクリス神官。よくあの一瞬で『祈り』を発動させたなぁ……。

「ん？　師匠？」

「なかなかの反射神経ですね。ほめてあげましょう」

「うわぁっ⁉」

いつの間にか近くにいるセバスさんに、わかりやすく身体を動かして驚くオルフェウス君。

気配を消すのはセバスさんのお約束行動なんだから、いちいち驚いていちゃダメだよ。

え？　私ですか？　めっちゃ驚いておりますが何か？

「無事でよかったです。ユリちゃん」

「わぁっ⁉　ティア、なんで⁉」

「セバス様に連れてきていただきました」

いつの間にか横にいたティアが、頬を染めながら説明してくれる。それはいいけど、なぜこんな事態になっているのだろう？

まわりを見ると部屋の中が氷漬けになっていて、それなのに寒さを感じないのはクリス神官の『祈り』のおかげなんだと思っている。

轟々（ごうごう）と魔力の嵐が吹き荒んでいる中、カイナお祖母様だけがゆったりと微笑んでいるのがすごい。胆力（たんりょく）ハンパないっす。

「あら、すっかり怒っているわねぇ」

「勝手にユリアを連れ出すだけではなく、このような暴挙にまで及ぶとは……他国の王族であっても許さん！　成敗してくれる！」

「う？　ベルとうさま？」

猛吹雪となっている部屋の中で、うっすら見えるお父様らしき姿に手を伸ばす。

オルフェウス君は強い。一緒に行動できたのは嬉しかったし、とても楽しかったよ。

でも、お父様と比べると圧倒的に安心感が足りないのだ。

「ユリア……!!」

「ベルとうさまぁ!!」

カイナお祖母様の膝からふわりと抱き上げられた私は、あたたかくて良い匂いにギュッと包まれる。

ああ、やっぱりこれだよ。これ。

むっちりと鍛（きた）え上げた筋肉よ……くんかくんか……。

「ああユリア、寂しくはなかったか？　なぜ泣いている!?　誰に何をされた!?」

「ふぇぇ、いま、ないてるのは、ちがうのぉ」

「痛いのか？　どこだ？　ここか？」

顔やら何やらにキスを落としていくお父様。いや、そうじゃなくてですね。今は心が幼女モードになっているので勝手に涙が出てきて止まらないだけでして。

こういう時の心の声が誰にも通じないのは何でなの？　いつもはスイスイ心を読んでくるくせにってセバスさんを見ると、めちゃくちゃ慈愛の目で見られているではないか。

まさか……分かっていて放置している……だと？

「あ、ティア。この御方はビアン国の王族なんだとさ。強い力を持っているって話だぞ」

「そうなのですね……ところで、ここで一体何をしているのですかクリス神官？」

「冷たいわ！　侯爵様の魔力よりも冷たい娘の言葉だわ！」

「まぁ、神官さんったら娘さんに嫌われちゃったの？　かわいそうにねぇ」

「失礼ね！　避けられているだけで嫌われてはいないわ！」

「それを嫌われてるって言うんじゃね？」

オルフェウス君もティアも、筋肉むちむち神官とカイナお祖母様までもご歓談しちゃってる！

放置されてる！　幼女は思いきり放置されているよ！

「んぐ、ベルとうさま、おはなしをしないとぉ」

「……そうだな。ユリアが無事でよかった。ここまでよく頑張った。えらいぞ」

「ふぇ……ベルとうしゃまぁ……」

とうとつに褒めるのやめてもろてぇ……また泣いちゃうからぁ……。


お父様の魔法とセバスさんの執事パワーで、部屋の片付けはあっさりと終了した。

激怒していた理由は、私を遺跡から連れ出す形になったことと、その犯人に膝抱っこされていたのが怒りスイッチへの決め手だったようです。

危機感がないと怒られるやつですね。申し訳ない。

大きな丸いテーブルを囲むように私たちは座っていた。セバスさんはお茶を用意してくれた後、そのままお父様の後ろに立って控えている。

「公式ではない場で名を聞かないほうがいいだろう。しかしビアン国の王族と名乗るのであれば、あの遺跡のことを知っているな？」

「ええ、よく存じてますよ。ビアン国の王族に連なる者が『王族として問われる場』のことでしょう」

お父様の問いに対し、ほわりと微笑むカイナお祖母様は優雅に紅茶をひと口飲んだ。

私もいただこうと手を伸ばすと、流れるように少し冷めたミルクティーを両手で持たされる。

お父様、さすがにひとりで飲めますよ。そして、ひとりで座れますよ。

遺跡に関していえば、お兄様と鳥の息子さんに会ったりと不思議なこと満載だったので、私もぜひお話を聞きたいところです。

「まったく……あの番人とかいうモノは悪趣味だったから凍らせておいたが」

「ばんにん？」

「ヨハンたちがいた場所から花畑に出た。そこで遺跡の番人と名乗る者に『王族とは何ぞや？』などと問いかけられた」

確かにお兄様と会った場所から花畑に移動したけど、番人っていうのはいなかったなぁ。

オルフェウス君を見ると、私と同じように首を傾げている。私たちは花畑に出てきたところまでは同じだけど……。

「侯爵サマ、俺らは気がついたら教会が見える花畑にいたんですよ。その番人ってのには会ってないです」

本来のルートから外れたのは、カイナお祖母様が原因だろう。遺跡から、なぜか私たちを連れてきちゃったとか言ってたし。

「おとうさまは、どうやってここにきたの？」

「遺跡の壁を粉砕して外に出た。ここまではユリアの毛玉に送らせたが」

あ、なるほど。モモンガさんなら私の居場所が分かるのか。そして遺跡を壊したのか。……大丈夫かな、アレってビアン国王家管轄だったような？

モモンガさんは精霊界経由での移動はできないけど、そこはお父様とセバスさんの精霊が出来るから問題ないかな……。

「モモンガさんはどこ？」

「何が起きているか分からなかったから、ビアン国で待機させている」

「ベルとうさま、すごいです！」

目を輝かせてお父様を見上げていると、頭を優しく撫でてもらいました。えへへ。

そして毛玉の中身は精霊王なのに、手足のように使っているお父様がすごすぎる件。

「なぁ、親子の語らいはいいけど……もしかしてお嬢サマ、あの毛玉の存在を忘れていたんじゃないか？」

ぎくっ！

オルフェウス君の言葉に思わず体が動いてしまいそうになるけど、ポーカーフェースで乗り切ることにする。無、です。

「オルリーダー、今回はユリちゃんがモモンガさんを呼ぶよりも、何もせずに待ってたほうが正解でしたから……」

ティアがフォローを入れてくれるけど、モモンガさん忘れていた説を否定してはくれないのね。確かに忘れていたけれども……正直申し訳ない……。

心の中でモモンガさんに謝っていると、カイナお祖母様が手を叩いた。

「もう面倒だから、番人をここに呼びましょう。遺跡でなくとも番人と会話することで儀式は完了するのだから」

え、カイナお祖母様ったらそんなことできるの？　何でもアリなの？

「そもそも『ハイイロ』に侵入されるなんて、遺跡の番人として失格ねぇ。変に交じってしまったから。ここに持ってくるしかなかったし……困ったものね」

「あの不愉快なモノは凍らせているぞ」

「暴れなくてちょうどいいわぁ」

ふんわりと話しているカイナお祖母様に対し、お父様が目を細めて圧をかけていく。

「……そのようなことができるのは、貴女が『予言の巫女』だからか？」

「ビアン国の『予言の巫女』だから、と言ったほうが正しいわね」

微笑んだまま空中で指先を動かしているその様子は、どことなくタブレットを操作しているように見える。

そして虚空を見ながら「これでよし！」と指先で何かを弾くと……。

『むぐー!!　むぐむぐぐー!!』

テーブルの真ん中に、氷の中でもがいている蛍光ピンク色の蜥蜴が現れたのだった。

19　儀式でやらかす幼女

四角い大きな氷の中を、目に優しくないピンク色の蜥蜴がもがいている。

多少空気はあるのか氷の部分に泡がたくさん詰まっていて、ピンク蜥蜴が足を動かすたびにムニュムニュ動く。

『むぐぐぐ!!　むぐー!!』

「そうは言っても、貴方が悪いのでしょう？　罰は当然です」

『むぐぐー!!』

激しく何かを訴えているピンク蜥蜴が、なんとなくかわいそうになってくる。

膝の上から見上げれば、お父様お得意の氷点下の視線がピンク蜥蜴に向けられていて、何となく状況を察する私。

きっとお父様に対してうるさかったり余計なことを言ったりしたのだろう。だがしかし、これをどうにかしないと話が進まなくなってしまう。

しょうがない。ここは私が、ひと肌ぬごうではないか。

「ベルとうさま、ゆるしてあげて」

「これの発する言葉をユリアに聞かせたくはない」

「でも、かわいそう……」

しょんぼりと潤ませた目で再度見上げると、お腹あたりに回されたお父様の手に少し力が入る。

その手を宥めるようにヨシヨシと撫でておく。

「ユリちゃん、ちょっと耳をふさいでおきましょうね」

「お嬢様、念のため音を遮断させていただきます」

ティアの言葉を聞いて、すぐさま両手で耳をふさぐ私。それでも足りないとセバスさんが自分の精霊を呼び出して氷のまわりに薄緑色の膜を張った。

お父様が手で何かを握りつぶすような（ちょっと物騒な）動作をすると、テーブルの上の氷がシュワッと消える。そして氷から解放されたピンク蜥蜴が、ジタバタしながら口をパクパクさせている。

そうっと耳から手を離すと、セバスさんの精霊が作った音声遮断について完璧であることが分かるよ。さすセバ精霊。

「やはり無理だな。また凍らせるか？」

『……!!』

お父様の言葉にピンク蜥蜴が体を硬直させた。

さすがにまた氷詰めにされるのは嫌だったようですな。

「そうねぇ。次は完全に凍らせていただいて結構よ」

『……!!』

ものすごくショックといった様子のピンク蜥蜴は、口をあんぐりと開けた状態で固まってしまった。なんだろう。なんかすごくかわいそうなのに、面白く見えてしまうのは彼（彼女？）が蜥蜴だからだろうか。

「では、お静かになられたようなので遮断を解除いたします」

オルフェウス君とティアは立ち上がり、何かあったら動けるようにしてくれている。私は相変わらずお父様のお膝抱っこのままですが。

「ここ、教会なんだけど……」

「静かにしてください」

「娘が冷たいぃ……」

クリス神官のささやかな抗議に対し、バッサリと斬る凛々しいティアさんでしたとさ。

もうちょっとパパに優しくしてあげて……。

「ごめんなさいねぇ。遺跡の造りが教会に似ているものだから、ここで儀式をするのは好都合なのよぉ」

「今回限りでお願いするわ……」

「ふふ、終わったらこの教会にビアン国からたんまり寄付を送りつけるから、楽しみにしていてちょうだい」

それにしても、カイナお祖母様って王族っぽくない気がする。いや、自国の王様はいつもお父様に泣きついているしアケト叔父さんも気さくな人だから、この世界に限ってということなのかもしれない。

色々ドタバタしたため、休憩時間を挟む意味合いで再びテーブルにお茶やお菓子が並べられた。

そしてセバスさんの精霊によって止められていた行動を解除されたピンク蜥蜴は、器用に前足を使ってお菓子を食べている。お父様が何か動作をするたびにビクビクと反応しているのが哀れなり。

「さて、番人としての仕事をしてもらいましょうか」

『てやんでぇばーろーちきしょー！　やってられっかよぉ！』

江戸っ子！　江戸っ子だ！

内心ワクワクしている私に気づいたお父様は、少し不機嫌そうな雰囲気の咳払いをして口を開く。

「それで？　ビアン国の王族の儀式とやらは、こんなもので出来るのか？」

「もちろんできるわよ。ねぇ、番人さん？」

『てやんでぇばー……で、できらぁ！　俺っちこそ、偉大なる王の『試練の館』の番人よぉ！』

お父様の視線に怯えながらも、懸命に江戸っ子キャラを守っている健気な番人さん。

ところで、お父様はなぜ番人さんを凍らせたのかしら？

ジッと見ていると、私に気づいた番人さんがピンクの尻尾を振りながら寄ってきた。

『お？　この嬢ちゃんが氷の魔王の嫁……ひぃっ⁉　お、俺っちは変なこたぁ言わねぇよ‼　この嬢ちゃんが王族だから話しかけたんだちきしょうめぇ‼』

「ユリアに妙なことを吹き込むな」

すっかり魔王呼ばわりされているお父様。確かに『フェルザー家の氷魔』なんて呼ばれているから、あながち間違いではないよ。

「ユリアがビアン国の王族だと分かるのか？」

『遺跡に入る時、嬢ちゃんの目が鍵を開けただろうがてやんでぇ‼』

なるほど。遺跡と番人さんは繋がっていて、王族かどうかを目の色で判断していた訳ですな。

それで、儀式って何をすればいいのかしら？　と番人さんに目で訴えると、心得ているとばかりに尻尾をピンと立てた。

『儀式は俺っちの質問に答えるだけだ‼　行くぞぉちきしょうめぇ‼』

「え、も、もう？」

慌てる私の背中を優しくポンポンしてくれるお父様。ちょっと落ち着きたいから深呼吸しておこう。すぅー、はぁー、くんかくんかー。

よっしゃこーい！

『ひとつめ‼　民とは何か‼』

「たみは、いきてるよ！」

『ふたつめ‼　王とは何か‼』

「なりたいひとがなるよ！」

『みっつめ‼　世界とは何か‼』

……え？　世界とは何か？

なんだろう、世界って。前の二つの質問もそうだけど、世界が何かなんて考えたこともないや。

前の世界でみたアニメで、全は個で個は全とか言ってたような？　だから、我思う、ゆえに我ありなの？

うーん、分からないっ！　分からないから適当に答えちゃえっ！（この間〇．〇二秒）

「せかいは、わたしだーっ！」

わたしだー、わたしだー、わたしだー……（エコー）。


しんと静まりかえる部屋の中で、ただお父様が私の頭を音速で撫でる音がやけに響いているよ。ハハッ。

その中で最初に、しかも盛大に噴き出したのはカイナお祖母様だった。

「さすがユリアーナちゃん！　今代の王なんて『我らは世界に生かされており、王は民を守るためにある』なんて、盛大に格好つけていたのに……ぷぷっ」

いやいやカイナお祖母様、それは王族として模範回答だったのでは？

「これでユリアの愛らしさを思い知ったことだろう」

なんでそうなるのか意味が分からないです。お父様。

クリス神官なんてテーブルに顔を伏せてしまっているし、横に立っているセバスさんは微動だにしていないと思いながらも僅かに震えているのが分かる。

「民は生きているって、そりゃ生きてるだろうさ」

「王はなりたい人がなるって、ユリちゃんらしい答えですね」

オルフェウス君は変な答えをいうのは予想してたみたいな顔をしているし、ティアはいつも以上に輝く笑顔をしていてとても眩しいです。はい。

よくよく考えたら、最後の質問だけじゃなく全体的に私の答えは変だったみたい。

脊髄反射で答えたのはよろしくなかった気がする……これは儀式失敗だったのでは？

『てやんでぇ!! 儀式成功したから、秘薬を与えるぜぇ!!』

そう言ってピンク蜥蜴の体のどこから取り出したのか、目の前にピンク色の液体が入っている小瓶が置かれた。

まさかあの答えで儀式が成功したの？ そして秘薬とは何ぞや？？？

するとカイナお祖母様が真面目な表情で私を見る。

「儀式で必要なのは、問いに対して悩まず答えることが出来るかが重要だったの。そしてこの秘薬は王族にまつわるもので、ユリアーナちゃんにしか手に取れないものよ」

「わたし、だけ」

するとまず先にセバスさんが手を伸ばし、瓶を持とうとしたけどすり抜けてしまう。続けてお父様も試してみるけど同じ結果だった。

皆が珍しがって持とうとしたけど誰も触れられない。一体どういう原理なのかな？

私が手を伸ばすと指先にガラスの冷たさを感じるよ。……おお、持てる！　持てるぞ！

「本当にユリアだけが手に取れるのか……」

「これで、おうさま、だいじょうぶかな？」

きっとこの秘薬で、王様の病気とやらも治るのだろう。よかったよかった。

「王に何かあったの？」

「……『予言の巫女』である貴女が知らないのか？」

「そうねぇ。私にはそんな大層な力はないのだけど、ビアン国に関わることはすべて把握できているつもり。そこの遺跡の番人のことも含めて、ね」

『て、てやんでぇ!!』

ぴゃっと跳び上がった番人さんは、テーブルに置いてあるティーポットの陰に隠れた。お父様に氷漬けにされたこともあり、何かしらやらかしている自覚があるのだろう。

20　未来に向けて決意する幼女

「ごめんなさいねぇ。ビアン国に関わることとユリアーナちゃんはともかく、他の方々には私の力が届かなくて……」

「だいじょうぶ、カイナおばあさま」

「ああ！　なんて可愛らしいの！」

感極まったカイナお祖母様に抱きしめられて、意外と力強いその腕に「ぐぇっ」となったところで素早くお父様に抱っこされる。はふぅー。

でも、ちゃんとご挨拶したいからお父様に下ろしてもらって、ちゃんとカーテシーをとるよ。

「カイナおばあさま、またおあいしましょう」

「丁寧にありがとう。また会ってちょうだいね。……ではお先に失礼」

そう言って、カイナお祖母様はピンク色の蜥蜴を指先で摘むと優雅にカーテシーをしながらふわりと消えてしまった。

なんかすごくあっさり退場したけど、また会えるみたいだからいいのかな？

それにしても、『ハイイロ』が絡むとろくな事にならないなぁ。

「久しぶりに娘に会えたし感謝するわ。ユリアーナ様」

「クリスしんかん、うるさくしてごめんしゃい」

「んー！　いいの！　かわいいから許す！」

そう言って抱き上げたクリス神官のムチムチ大胸筋が顔にふぉぉ、お父様とはまた違った弾力に包まれてふぉぉ。

即お父様が引き抜いてしまったけど、あれはすごかったです。すごかったです。（大事なことなので感想を二回言いました）

「な、何をやっているんですか！」

「もちろんクリスティアもかわいいわよ！」

「やめっ……ふむぅーっ！」

おお、これぞまさに父娘（おやこ）のスキンシップですな。

自分はいつもお父様からスキンシップされまくっているだろうというツッコミは、スルーさせていただきます。

ムチムチ筋肉にハグされているティアは、顔を真っ赤にしているけどすごく嫌というわけでもない感じだ。

でも多感な時期だと思うので、ほどほどにしたほうがいいと思いますよー……って、遅かったか。

「こらこら、そんなにパパを強く叩いたらダメよー」

「岩がぶつかったところで怪我ひとつない人に言われたくないです！」

「そちらのお嬢様を見てごらんなさい。こんなに仲良しでしょう？」

あ、ティアったら鉄製のメイスで叩いてるし。わりと容赦ない美少女なのね……。

そして私たちを見本にされても困ります。こんな素敵なお父様に歯向かうとか、天が許しても私が許しませんから。

反抗期？　何それおいしいの？　ってなもんだ。

「クリス神官、今回ビアン国から移ってきた『ハイイロ』について、我らのことを含めて王に報告をあげてほしい」

「ええ。そちらの有能な執事さんからまとめたものをいただいているから、併せて王宮に送っておくわ」

「頼む」

おお、さすがセバスさん有能すぎる。そしてお父様が頭を下げるのは珍しい。（失礼）

私の心を読んだのか苦笑するお父様。

「さすがにご令嬢を借りている身として、クリス神官にはあまり負担をかけたくはない」

「ふぉ、ベルとうさま、やさしぃの」

「……当たり前のことだ」

そう言いながらも目尻がほんのり赤くなっているお父様。むふふそういうところがとても可愛いですよ。

「そろそろ行こうぜ……って、何もできない俺が言うのもどうかと思うけど」

「オルしゃまは、いっぱいまもってくれてます！」

「ありがとな、お嬢サマ」

えへへー。オルフェウス君の抱っこも、なかなかのものでしたよー。

セバスさんがビアン国への扉を作ったので、さて、そろそろ向かいたいところですが……。

「ティア、しばらくここにいる？」

「行きます！」

「やっぱり娘が冷たいわぁ」

ムチムチ筋肉神官が体をクネクネしながら悲しんでいる。

その筋肉を慰めたい気持ちを振り切るように、クリス神官に別れを告げた我らはビアン国へと戻るのであった。

「……もっと鍛えるべきか」

お父様は文官なので、そんなにムキムキしなくても大丈夫だと思いますよー？


乾いた空気と強い日差しに思わず目を細めていると、お父様がひょいっと私を抱き上げた。

なんぞ？　と思ったら、飛び込んできたのは茶色の毛玉でして。

そのまま勢いよく砂の中に潜り込んでしまって、少し離れた場所からスポーンと飛び出てきましたとさ。元気だね。

「きゅきゅきゅきゅーっ!!（主ぃーっ!!　我のことを忘れておったであろうーっ!!）」

そんなきゅーきゅー抗議されても、まったく怖くないですよモモンガさん。

でも忘れていたことは確かなので砂に塗(まみ)れた体を風の魔法で綺麗にしながら謝ることにする。

「ごめんね、モモンガさん」

「きゅっ！（うむ。許すっ！）」

チョロいよモモンガさん。

そして心なしかモフモフ感が少なくなっていたので、しっかりと撫でておく。心配してくれていたのに呼ばなくてごめんね。

あ、そういえば。

「ベルとうさま、にいさまたちは、ごぶじ？」

「私の精霊である氷月がヨハンの氷花と連絡をとっている。無事に本邸に戻っているようだ」

「よかったです！」

あの妙な空間は遺跡の影響があったのだろうけど、お兄様と鳥の息子さんまで巻き込まれるとは恐ろしいものだと思う。

アケト叔父さんは大したことはないみたいに言っていたのに……。

「やはりあれは本人だったか。ユリアに会ったことも記憶にあると言っている」

「にいさまたちが、ごぶじでよかったです」

「……ユリアは優しいな」

身内を心配しただけで優しい認定されるとは、ちょっと照れるなり。

あの教会から私たちが戻った場所は、モモンガさんたちが待機していた遺跡の入り口近くだった。

聖獣のウコンとサコンが馬車を守ってくれていたから、しっかりとお礼を言わないとね。

「お嬢様、ここはお暑うございますから馬車の中へ」

「あい！」

元気よくお返事した幼女ですが、抱っこされているため歩くのはお父様だ。もう歩いても転びませんよ？　砂地も歩けますよ？

秘薬の瓶はポンチョの隠しポケットに入れている。これで王様の病気が治るといいなぁ。

馬車に乗ると、そこにはゆったり寛いでいるモフモフが二体。うむ、留守番ご苦労だったとモフモフにうもれる私。

そしてふわりとお父様に持ち上げられてしまう私。

「ユリア、着替えてからにしなさい」

「はう……ごめんねウコンサコン。るすばんありがと」

『ご無事でよかったのだ！』

『おかえりなさいなのだ！』

「ただいまー」

お父様にお断りを入れて、ついでとばかりにティアと一緒にお風呂にも入る。遺跡で大冒険してきたからね。

私の場合オルフェウス君に頼りっきりだったけど、幼女モードだったから許してもらいたい。え？　いやいや、幼女でもお風呂はひとりで入れるよ？　なにせ私には魔法というものがありますから！

馬車の中とはいえ、お風呂は広いよ。現代日本の一般家庭の数倍は広いと思う。そして、なぜティアと一緒に入ったのかというと少しお話をしたかったのだ。

「ユリちゃん、器用ですね」

「みずとかぜのまりょくで、あわあわになるんだよ」

ハーブ入りの石けんから水と風の魔力でフワフワな泡を作り出す。せっかくだからティアも泡で包んであげた。

「わぁ、すごく気持ちいいですね。もっと魔力操作を頑張ります」

とはいえ、ティアの魔力操作や神官としての能力は同世代から見ると圧倒的に高いと思う。それでも彼女はまだ足りないと思っているのだろう。

その理由は……。

「クリスしんかん？」

「……そう、ですね。父には反抗的な態度をとってしまいますが、やはり神官としての能力は素晴らしいと思います」

まぁ、あのクリス神官に反抗してしまう気持ちは分かるよ。

「あのね、いのり、すごかったよ」

「私たちが教会に乗り込んだ時の、ですよね。あの一瞬で『祈り』を発動させられるのは、神官の中でも父くらいだと思います」

ティアの『祈り』だって素晴らしいと思う。それでも神官としての経験については向こうが上なんだよね。

それは当たり前のことなんだけど、追いつこうとして努力しているティアは現状で満足できないのだろう。

歩みを止めない彼女の姿勢を私も見習いたい。せめて自分の足で歩きたい。（ツッコミ待ち）

「オルしゃまとも、おはなししたよ。だからティアも、いっぱいおはなししてね」

「ふふ、ありがとうユリちゃん」

笑みを浮かべているティアのたゆんたゆんを見て、クリス神官のムチムチ大胸筋を思い出す。

これぞ遺伝子の神秘なのか……いや、お父様も結構な胸板の厚みがあるから、私にもワンチャンあるのではないだろうか……。

前世とは違い、ここは異世界。きっと未来は明るいはずだ。

「ユリちゃん？」

「がんばっておおきくする！」

「大きくなる、ではないのですか？」

首を傾げるティアの横で、ひそかに固く決意する幼女であった。

21 疑惑にかられる幼女

全員がお風呂に入りほっこりしたところで、ウコンサコンに砂漠の馬モードになってもらう。儀式を終えたことを王宮にいるアケト叔父さんに報告しないとね。

馬車の中で湯上りのお茶を飲んでいると、お父様が口を開く。

「ビアンの国で精霊を使うことは控えようと思っている」

「え、この馬車を使っている時点で控えてないんじゃ……」

「それは言わない約束ですよ」

オルフェウス君のツッコミに対し、すかさずティアがフォローを入れている。すみません、お父様とお師匠様の魔改造馬車が自重を知らなくて。

「そうではない。自国でも精霊を使う時も目立たぬように行なっていた。しかし、砂漠の国では私の属性は目立つ」

確かに、お父様の氷の属性は砂漠の中で発動したら目立つかもしれない。魔力を感知する能力がなくても、暑い中での空気の冷たさとかは感じやすいものだからね。

「なるほど。つまり、お嬢サマの護衛を強化しろってことか」

「私も常に『祈り』でお守りするようにします」

「頼むぞ」

ちょっと待って。どういうこと？

私ひとり置いてきぼりになっているのを、セバスさんが優しく説明してくれる。

「お嬢様は、旦那様にとって唯一の存在なのです。お嬢様に何もなければ、旦那様は魔力を暴走させることはないでしょう。元々フェルザー家は感情を制御することに特化した一族なのですから」

なるほど把握。

とはいえ、感情を制御する云々ってところには異議を申し立てたい。

「お嬢様とお暮らしになる前まで、旦那様は一切の感情を表に出すことはなかったのですよ」

「まりょくも？」

「はい。感情の高ぶりによって魔力を出すこともありませんでした」

それはなんというか……すごく、悲しいことではないだろうか。

しょんぼりしている私を抱き上げたお父様は、膝にのせてから優しく抱きしめてくれる。あたたかくて安心するいい匂いに、しょんぼりは消えていく。

「まさか、自分の感情について悩むことになるとは思わなかった。幼い頃から感情の薄い子だと言われていたからな」

え？　あの熱血お祖父様と愛情豊かなお祖母様という両親がいたのに？

「魔力の属性も影響していたのだろう。大きく強い魔力を持つものは、その属性が人格に影響を及ぼすこともあるという」

「はじめてききました！」

「フェルザー家の当主は強い氷の属性を持つ者が代々継いでいる。ヨハンは風の属性もあるが、氷のほうが強いので次期当主とされている」

お兄様も笑顔を見せてくれるし、感情の制御をしてるって感じはしないけど……こんな状況で代々続いているお屋敷にいたら、息が詰まりそうだよ。

優しく背中を撫でてくれるお父様の手はあたたかい。

「大丈夫だ。ユリアが居心地の良い屋敷にするよう、屋敷の者たちは日々努力をしているのだから」

「あい」

ちゃんと分かっている。お屋敷の人たちは皆すごく優しいし、庭師さんたちとか、いつも守ってくれているし。

うーん、こんな話をしていたら……。

「かえりたくなっちゃう」

「今夜、王宮に滞在しないのであれば屋敷に戻ろう。ヨハンも待っているからな」

「あい！」

などという会話で、フラグをたてながら王宮に到着。

真っ白な大理石（のようなもの）で造られた建物は、前の世界で見たインドのマハラジャが住む宮殿を思い出す。

玉ねぎのような屋根や四方を囲むようにある塔の先は金色に光っていて、陽の光が反射すると眩しいくらいだ。

「さすが、財力で王になる国だな。あの金色のやつは金で出来ているんだろ？」

「すごいですよね。大きな屋根の部分は、今代の王が金にしたそうですよ」

オルフェウス君とティアが解説してくれて、素直に驚いていたら「そこの観光案内に書いてあるぞ」と言われた。私の驚きを返して！

馬車から降りるアロイスモードのお父様に抱っこされた私とオルフェウス君とティアア、そしてセバスさんは、すぐに門番さんに中へ通された。

モモンガさんはしっかりとフードの中に入ってもらう。あとで動物を持ち込んでいいか聞いてみよう。

来客用なのか、やたら豪奢(ごうしゃ)な部屋で待たされること半刻。ところどころ金が使用されている椅子とテーブルでチャイのようなお茶をいただいていると、移動の用意ができたと案内されたのは……。

「ふねだ！」

「王宮内を舟で移動するのか？」

護衛(アロイス)モードのお父様は、すぐに危険がないかをチェックしている。オルフェウス君もティアも警戒しているけど、私はなんとなく大丈夫だと思っているんだよね。

根拠はないです。はい。

入ってきた扉とは違う扉を出るよう案内されたのだけど、建物の中なのに水路があるんだよ。

さっきまで砂漠の乾いた空気だったのに、ここはしっとり湿っているのに驚く。

「先々代の王が常に水を感じたいと仰(おお)せになり、王宮内に水路を造られたのです」

案内をしてくれるお兄さんは船頭もしているらしく、舟は十人乗りのものを用意したとのこと。

普通の道もあるのだけど、王様が水路を案内するように命じたんだって。

だから時間がかかったのね……。

「遠方からのお客さまには、必ず舟を使うのです。我が国では最大限のもてなしでして……」

「危険はないようだ。舟で構わない」

「ありがとうございます」

案内の人がほっとした表情をしている。お父様は魔力を抑えていても圧は強めだからね。ごめんね。

「それに……お嬢様は喜んでらっしゃるからな」

はぅっ、お父様にはバレバレだったようです。

だってこれ、前の世界で見たゴンドラの豪華版って感じなんだよ？　これでカンツォーネとか歌われたらテンションマックスだよ？

ふかふかクッションが敷き詰められた舟に乗り込むと、不思議な音色が聴こえてくる。

「これは水の力で鳴る楽器を舟に仕込んであるのです。私がこうやって強く舟を進ませれば、ほら、音楽の速度が変化するでしょう？」

案内の人の長いオールさばきで、流れる音の速さが変化するのが面白い。

「すごーい！　きれいなおと！」

そして、はしゃいで水に落ちないようアロイスなお父様にガッチリ抱えられているのに気づき、ちょっと反省。

王宮内は外が砂漠だと思えないくらいに緑が広がっている。

見たことのない花があったり不思議な植物もある。以前、街で買い物をした時に色々な香辛料が売っていたけど、ビアン国から輸入したものもあるかもしれない。

落ち着いたら王宮周辺で買い物とかしたいなぁ……。

「これほどの水、どこから入れている？」

「水の魔石を使用しております。これらはそのまま王宮の外に流れておりまして、生活用水として使われるのです」

事前にビアン国について勉強はしたけど、王宮については詳しく書かれていなかったから驚くことばかりだ。

王が代わるたびに王宮も変化するから、書物が追いついていないのかも。

案内の人は博識で、ビアン国に関すること以外の質問にも答えてくれるのがすごい。聞いたところ、舟を扱う人には厳しい試験があって、外交官の中でもトップクラス数人がこの役職に就けるとのこと。

ふぉぉ、案内のお兄さんは超エリートなのね。

「ところで、しばらく王宮の出入りが閉鎖されていたようだが、もう大丈夫なのか？」

「閉鎖ですか？　出入りの出来る時間以外での閉鎖はございませんが……」

「そうか。こちらが伺う時間を間違えたようだ」

「ご足労かけて申し訳ございません」

「いや、こちらも別件をすませたから気にするな」

護衛のお父様の隠しきれない圧に、案内のお兄さんもタジタジだ。

すみません。うちのお父様が色々とすみません。

でも、案内のお兄さんとの会話から得た情報はかなり重要なもので、私たちは目で合図を送り合うことになった。

王宮の閉鎖はされていなかった。

つまり、儀式に行く前に言っていたアケト叔父さんの言葉には、嘘があったということになる。

22　他人の趣味に口出ししたくない幼女

ゴンドラのような舟に揺られて半刻ほど。

辿り着いたのは乗った時と同じような場所だった。すぐ近くの一室にて、ふたたび待たされることになるという。

もしかすると、これは王宮あるあるの謁見順番待ちってやつかもしれない。

最初に待っていた所と同じような造りの部屋でティータイム。セバスさんが給仕をしてくれて安心だけど、護衛として控えているお父様たちは立っているので落ち着かない感じだ。

「セバス」

「かしこまりました」

室内の風の動きが止まる。魔力の流れに変化はないから、これは音声を外に出さないようセバスさんが精霊を使ったものだと分かる。

「セバスより最新の情報がある。急ぎ共有しておく」

お父様の言葉に対し、オルフェウス君とティアは体を緊張させている。もちろん私もピシッと背すじを伸ばしているよ。

「ご報告いたします。王宮で国王に仕えている者たちの噂で『今代は幼き者を愛でている』とありました。由々(ゆゆ)しき事態かと」

由々しき、とは？

ひとり首を傾げる私をよそにお父様は何かに耐えるように震えているし、オルフェウス君とティアは深刻な表情で会話をしている。

「この国では確か、あー、なんつーか、成熟した女性を好む傾向にあるよな？」

「はい。女性らしい体を持つ方々が好まれるそうです。室内での女性は薄着にするのが普通とのことですが、私は神官ということで法衣を盾(たて)に乗り切ろうと思っていました」

言いづらそうにしているオルフェウス君と比べて、淡々とビアン国の女性事情について説明するティア。

つまり、この国ではティアのようなたゆんたゆんが好まれる、ということか。

「この国の王は、もう一人の『予言の巫女』に執心しているという話ではなかったのか？」

「そのはずでしたが……もしやその『予言の巫女』が幼き者という可能性もあります」

「なんということだ！　ユリアの身に危険が迫っているではないか！」

そう言いながら素早く私を腕の中に閉じ込めるように抱き寄せるお父様。ふむふむ、やはりアロイスモードの胸板はまだまだですね。

それにしても、王様が幼女趣味かぁ……アケト叔父さんは違うと思うけど、遺跡の件でも味方じゃなさそうだし困ったものだ。

「王が病だと言って、王族にしか手に取れぬ秘薬を求める理由……まさかとは思いますが、お嬢様と確実に会えるように根回しをされたのでは……」

「許せねぇな」

「女の子の敵です」

あくまでも推論ですがと言っているセバスさんの言葉に、オルフェウス君とティアはかなり怒っているみたい。

私はというと。

「……こわい」

ポンチョのフードからモモンガさんを取り出して、モフモフすることで心をおちつかせようとしている。

きっと謁見する時は護衛と離れることになるだろうから、王様と会うのは正直怖いです。

「きゅきゅっ！（主のことは我が守る。それに氷がいれば何も心配することはないだろう！）」

「ありがと。モモンガさん」

モフモフに顔をうずめて癒されていると扉をノックする音が聞こえる。

こちらの音は外に出さず、外の音は聞こえるようにしていたセバスさんが有能すぎる件。さすセバ。

部屋に入ってきたのは、さっきの案内人とは違う人だった。白一色の服装なのは変わらないけど、腰巻の色が青から赤になっている。

赤色腰巻さん曰く、今度は「輿（こし）」に乗るという。

え？　コシって何？　神輿（みこし）みたいなもので、ワッショイワッショイされちゃうの？

「護衛の方はこちらでお待ちくださ……いえ！　か、確認いたします！」

すっかりお父様の圧に翻弄されている案内のお兄さん。本当に申し訳ない。

でも、アケト叔父さんに疑惑が持ち上がっている今、私が一人になるのは危険すぎると思うのだ。

結局、王様の許可が出たとかで全員が向かうことになった。それに伴いワッショイも拒否できたぞ。

案内の人の後方でしょんぼりしている四名のマッチョメンたちがいる。褐色肌が艶かしいムキムキした肉体に対し、腰巻のみを身につけて……いや、あれはまさかの褌？　褌一丁というやつでは？

まさか異世界にも褌というものがあったとは……でも作者が私だった時点で異世界の下着に褌という選択肢が出てくる流れは不可避だったよね！　うん知ってた！

ということは私、あの人たちにわっしょいされるところだったの？　ちょっと試したかっ……いやいやなんでもないですお父様。

長い廊下を歩き（途中で抱っこしてもらった）末に到着した謁見の間は、私たちの国とは違って円形の部屋になっている。

外から見た時の一番大きなドーム形の建物がここになるらしい。奥にもまだ建物があるけど、一体どれくらいの広さなのだろう。

そして謁見の間には窓がない。それどころか壁もなくて、ほぼ外って感じになっているよ。防犯は大丈夫なのかしら？

玉座らしきものがある場所には、薄紅色の髪をした男性二人が立っている。

「よくぞ参った！　我が一族の姫よ！」

「ごめんね、わざわざ来てもらっちゃって……本当はしばらく後宮か離れで過ごしてもらう予定だったのだけど……」

ん？　確かにわざわざ来ることになったけど、アケト叔父さんは私と王様を会わせたかったんじゃないの？

それよりも病で伏せっていたという設定（もう設定でいい気がしている）の王様が元気いっぱいな様子が気になりますね。やはり嘘だったのね。

王様は短く刈り上げられている薄紅色の髪に、私と同じ色を持つ紫の瞳をキラキラさせている。頭にはビアン国でよく見る刺繍された布が巻かれていて、宝石のたくさん付いたサークレットで留めてあり、王様というよりもマハラジャか石油王って感じだ。

この世界に石油王はいないけど魔石王ならいるよ。そう、目の前にいるこの人、ビアン国の王様の別名だったりします。

とりあえず挨拶をしておきますか。

「はじめまして。フェルザーこうしゃくけのむすめ、ユリアーナ・フェルザーです」

ふふん。これくらいならもう噛まずに言えるもんね。

ドヤ顔しながらカーテシーをしようとして、ぐらりとよろけてしまう私。それを離れた場所で控えていたはずのアロイスお父様がしっかりとキャッチ。ナイッスゥー。

「お気をつけください」

「あい」

しょんぼりしながら前を見ると、なぜか俯（うつむ）いたまま震えている王様。大丈夫？　お父様の匂いをくんかくんかする？

「おい、アクト……お前の言っていた通りの愛らしさではないか……」

「何度も報告したのに、まったく信じてくれなかったのは陛下ですよ」

とたんに私たち周辺の温度が下がっていく。

やはりか。やはり王様は幼女趣味なのか、と。

23　寝るのもお仕事である幼女

「む？　何やら不穏な空気だな？」

「陛下のせいですよ。騙（だま）すようなことをするから……」

「しかし必要な儀式ではあったのだから良いではないか」

「そういうことではありません！」

二人の言い合いを聞いているうちに、私たちはどうやって王宮から脱出しようかという計画を中断し、話を聞く体勢をとることにした。必要な儀式だったとは？

念のため私の横にアロイスなお父様、後ろにオルフェウス君とティア、そして出入り口にはセバスさんがいる。

モモンガさんはポンチョの中で珍しく起きたまま待機してくれているよ。

二人とも身内ならではの気やすさで会話できているのがすごい。考えてみたら謁見の間に国の重鎮が一人もいないというのは異常だ。

でも、アケト叔父さんが土下座せんばかりに深々と頭を下げたことにより、私たちの緊張感は消えていった。

「本当に申し訳ない。陛下の体調不良については私も騙されていたのだ」

「王の体調不良は本当だったぞ！」

「王族が管理している遺跡の秘薬が必要だというのは嘘でしたよね？」

「うむ！　秘薬を必要としているのは王ではないからな！」

アケト叔父さんの言葉を信じるのなら、今回の件については王様が個人で計画したものと思われる。

でも、秘薬が必要な人とは？

「姫君は我が国の王族の血をひいている。今のところ、王族の病にかかるとしたら姫君である。だから秘薬を必要としているのは姫君自身なのだよ」

「え？　わたし？」

「王族の中でも紫の色を持つ者は病にかかる危険があるのだよ。たとえ他国に住んでいたとしても、知らせを出すようにしている」

「そ、そうだったのですね……」

やり方は強引だったのかもしれないけど、私が王族の病とやらにかかってしまわないよう手配してくれたのは感謝だ。

でも、少しくらい文句を言いたくなる。

「たいへんだったのです。いっぱいがんばりました」

「そうだったのかい？　やはり姫君のような幼き子には荷が重かったかな？」

「なぬっ⁉　我らも姫君くらいの頃に儀式を受けたものだが、まだ早かったか！　すまぬ！」

私たちの頭にたくさんの「？」が現れる。

「あの、ぎしきは、たくさんあるきました」

「歩く？　瞳の色で遺跡の鍵を開けて、番人の問いかけに答えるだけだよ？」

「王の時も同じであったぞ！」

すると横にいるお父様（アロイス）が、前の二人に向かって問いかける。

「発言をお許しいただきたい」

「うむ！　許す！」

「ユリア、秘薬を出してくれ」

「あい」

ポンチョの隠しポケットからピンク色の秘薬の入った瓶を取り出すと、それをよく見せるように私を抱き上げる。

「こちらの秘薬は、御二方が飲まれたものと同じでしょうか？」

「うむ！　同じものである！」

「色に驚いてしまうよね」

王様とアケト叔父さんの様子を見たお父様は、私に向かって飲むように促す。

はい。病気が怖いので、さっさと飲みます。

味は不思議な感じだった。なぜか蜂蜜とレモンを合わせたような爽やかな風味で、あと味もスッキリしている。

「どうやら御二方の時とは違ったようです。我らは『予言の巫女』と名乗る女性と会うことになりましたので」

「なんだと⁉　あの御方に会ったのか！」

王様は驚いた表情をして隣に目を向けると、アケト叔父さんも同じような表情で首を振っている。

「私は知りませんよ陛下。……王宮内に住んでらっしゃるにも拘わらず、なかなかお会いできない神出鬼没の御方と姫君は会えたのか」

「カイナおばあさまに、あいました」

「貴殿らの祖母君の妹君だと聞いているが？」

お父様の言葉に、アケト叔父さんは表情を変えずに頷く。

「お祖母様も強い力をもつ巫女だったが、その姉であるあの御方は神に身を捧げたと仰り、王族として在籍されてはいるものの、どの一族にも属していない特殊な姫であらせられる」

うん。なんか不思議な女性だったもんね。ハイイロに関わる物を素手で触れたり、遺跡から私たちや番人を移動させたり……特殊な力を使っていたと思う。

「うむ！　あの御方に関わった姫君ら一行であれば、なおさら歓待せねばならぬ！　今夜は宴を開くからぜひ参加していただきたい！　無論、保護者殿と護衛たち含めてであるぞ！」

王様の言葉に、私を抱っこしている保護者を見上げれば渋々頷いた。

「わかりました。おうけいたします」

「そうか！　それはありがたい！　宴の際には婚約者の『予言の巫女』とも引き合わせようぞ！」

それは嬉しいかも。噂の「幼き者」について、気になっていたんだよね。

王様の態度からすると、私を可愛いとは思っているけど幼女趣味まではいってない感じがするし。

……保護者の警戒はまだ解除されていないけどね。

謁見が終わり、今日から宿泊する建物に移動した私たちは、宴の時間まで休憩することに。

ちなみに移動については保護者から許可が出なかったため、ワッショイ褌マッチョ祭りではなかったです。少し残念……いやいや何でもないです。

私たちのいる建物は元は後宮と呼ばれていた場所で、今は特別なお客様を招くことに使っているとのこと。

大丈夫ですよ。先代が男女分け隔てなくムニャムニャしていた建物は取り壊されておりますから。

ここは後宮の姫（男性も含む）の身内が寝泊まりしていた客室だそうです。

仕切りは布だけど、しっかりと部屋を分けることができるので男女一緒でも問題ないです。

オルフェウス君とティアは護衛だけど、王宮内では何が起こるか分からないから近くにいてもらうことになっている。

それにしても広い。建物ひとつひとつに手入れされた庭があるのもすごい。砂漠の国ということを忘れそうなくらい植物や水があるのがすごい。どれだけお金かかっているのかって感じだよ。魔石王(マハラジャ)ってすごいよね。ららら～♪（歌って誤魔化(ごまか)す）

「お嬢様、呪歌……んんっ、お休みのところ失礼いたします。お茶のご用意ができましたよ」

「ありがと。セバシュ」

建物の中央にある応接室に行こうとヨロヨロぽてぽて歩く。そして私の状態を察したセバスさんに抱っこされる。

うん。今日は色々あって、ちょっと疲れているのだ。

「ユリア、夜の宴は断ろう」

「だいじょうぶ、です」

セバスさんから抱っこのバトンを受け取ったお父様は、人目がないからとアロイスモードを解除している。はぁ、やっぱりこの胸板の厚みですよ。くんかくんか。

お父様の抱っこに安心したのか、体に力が入らなくなってきたよ。やばい。

「ユリア、今日は休ませてもらうよう申し出ておく」

「んー、おうさま、おこらない？」

「セバス」

「お嬢様、そもそも幼い子には夜の宴より昼の茶会を開くものですよ。国王陛下であり血の繋がりもある御方ですから理解していただけるかと」

お父様の言葉も安心できるけど、セバスさんがいれば何とかしてくれる感じがすごいね。さすセバ大明神だね。

あとは皆に任せて、まだ夕方だけどゆっくり寝かせていただきます。


ところで私たち、遺跡の中にどれくらいの時間いたのだろう？

◇とある神様は転生者にお願いする

私の名前は……えーと、なんだっけ？　忘れちゃったみたい。

平凡な女の子だったけど、結婚して夫と幸せに暮らしていた。

そして子どもたちと孫たちに囲まれ、夫と共に穏やかな老後をすごし、天寿を全うしたことは憶えている。

私と夫は不思議な出会いかたをしたけれど、物語みたいな素敵な恋愛もしたし、とても楽しく素晴らしい人生だったと思っている。

「そうだね。素晴らしい人生で何よりだったよ」

おや？　その声は誰？

「僕は『渡りの神』と呼ばれている存在だよ。まぁ、神々の中で雑用をしている不憫な存在だと思ってもらえたら嬉しいかな」

不憫なのに嬉しいの？

「神々は僕が楽しんでこの役割を担っていると思っているからね。実際は不憫で不幸なんだと知ってほしいんだ」

ふーん。神様も大変なのね。

それで？　私に何をしてほしいの？

「おや、話が早いね。ああ、君の記憶の中に『神と話すと使命を与えられる』という知識があるのか。太陽系、地球、日本、ライトノベル……ね」

うん。けっこう好きだったから色々読んでいたんだ。

好きな作家さんの作品は、メディアミクス化したものも全部そろえたりしていたよ。

「ますます好都合だ。そんな君にお願いしたいことがある。対価はちゃんと支払うよ」

どんなお願いかにもよるけれど……対価と言われてもお金はいらないし、私は幸せだったから何も要らないよ。

「では、来世で待っている君の旦那さんと、しっかり添い遂げられるようにするとかは？」

おお、それは嬉しいかも！

でも私がここで神様の願いをきいていたら、すごく年が離れたりしちゃうんじゃない？

「それはしっかり調整するよ。同い年で寿命も同じにするし、家も隣同士で地球の日本で生まれるようにするから」

現代日本で暮らせるの？　それはアフターケアが万全だね。

でも……お高い、じゃなくて。お願いごとって大変なんでしょう？

「いやいや、君の知識と僕の道具があれば簡単なお仕事だよ。とある神様が落としてしまったネガティブな感情を回収してほしいんだ。吸い取ったり、あるべき場所に持っていったり、それは道具で操作すれば簡単にできるから」

そんな便利な道具があるなら、神様がやればいいのに。

「仕様ってやつだよ。神は人の世界に干渉できない、みたいな。たまに例外はいるけど」

うーん、どうしようかなぁ。

「世界中じゃないから。国ひとつの範囲だから」

国ひとつかぁ。まぁ、道具の性能次第ってところかなぁ。

「指先でちょちょいのちょいだから！　アットホームな環境で皆が優しくしてくれるから！」

ブラック企業のうたい文句じゃないの。

そうね……いいわよ。やってあげる。来世での特典もあることだし。

「ありがとう！　助かるよ！　なかなか適任者がいなくて困っていたんだ！」

いえいえ、どういたしまして。

それで期間はどれくらい？

「どれだけかかってもいいよ。君に寿命は無いし、メンタルの部分も心配ないと思うけど一応プロテクトかけておくから」

確かに。さみしくて暴走しちゃうかもしれないもんね。

あ、でもお仕事が終了になる時のヒントは欲しいかな？

「ヒントね。んー、君が君を認識した時、かなぁ」

私が私を？　よくわからないけど了解です。

「これから行く世界で、恋人や夫を持ってもいいんだよ？」

冗談を言わないでちょうだい。夫に知られたら愛と嫉妬の炎で焼かれちゃうから。

んふふ、私たち、ずーっとラブラブだったのよ。

きっとこれからも。ずっとずっとね。

「はいはい、ごちそーさま。それじゃ、何か質問があったら道具で知らせてよ。可能な限り対応するからさ」

了解。

「あ、それともうひとつ聞き忘れてたんだけど。来世は記憶があるほうがいい？」

記憶かぁ……あってもいいけど、夫はどうするって言ってた？

「旦那さんは記憶があるほうがいいけど君に合わせるって」

じゃあ、記憶ありでよろしくー。

「了解。では、お仕事よろしくお願いします」

なーんて、安請け合いをしちゃったんだけど。

思った以上に長いことやっていた「簡単なお仕事」は、ようやく終わりを迎えようとしていた。

神様の道具にも「残り1％」と表示されているし、今代の王にも動きがあったみたいだし……。

とても長い時間がかかったけれど、そのおかげで得をしたこともある。

見たかったものをリアルタイムで追うことができたのは嬉しかった。

そして、私が前世からずっと好きだった人に会えたし、彼女の世界に触れることができた。

あと数年しか猶予がないのは悲しい。でも、来世で待っている夫のことを考えると、これ以上長居はできそうにないかな。

「巫女様、陛下から夜の宴の誘いがありますが……」

「お断りしてちょうだい」

「かしこまりました」

私の世話をしてくれる子たちは、断ることを分かっててても律儀に確認してくれる。

決まりだから仕方のないことだとは思うけど、それだけこの国にとって私の存在は大きいのだろう。

「さて。お仕事、お仕事」

砂漠の国は今日も平和だ。

王宮内でしか感じることのできない水を含んだ風に、白くなった髪がふわりと揺れた。

24　王族のしがらみを学ぶ幼女

夢も見ずに寝ておりました。

昨日は本当に疲れていたみたいで、着替えた記憶もないのだけど、ティアが色々と世話をしてくれていたみたい。ありがたや。

大きな部屋を仕切って寝泊まりしているから、真ん中のスペースに皆が集まるようになっている。朝食はそこで一緒にとれるかなぁと、ぽてぽて歩いていく。

遺跡では二日か三日ほど探索していたと思っていたら、実は数時間ほどだったとモモンガさんが教えてくれたよ。

モモンガさんの見解は「何かに干渉されて歪(ゆが)んでいたのだろう」とのことだった。

確かにカイナお祖母様もハイイロがどうのって言ってたもんね。そこらへんを詳しく聞かなかったのは痛い。

「おはようございます！」

「ユリア、休めたか？」

「あい！」

たっぷり寝たので幼女は元気ですよ。

すでにオルフェウス君とティアは着替え終わっていて、私は服がどこにあるのかわからず寝間着のままだ。一応レディーなのでショールは羽織っているよ。

「ユリちゃん、着替えはこちらのスペースにありますよ」

「ありがと、ティア……ぴゃっ⁉」

持ち込んだ服や荷物は、私が寝ていた場所の布で仕切られた所にまとめて置かれていた。

そしてそこにウコンとサコンが丸まって寝ていたものだから、つい変な声が出てしまったよね。

驚きすぎて心臓が止まるところだったよね。

『氷の人が連れてきてくれたのだ！』

『ここは風通しのよい場所なのだ！』

いや、ここは物置のスペースなんですけど。

ウコンとサコンを王宮の人にお任せするのは心配ではあるけど、連れてきても良かったのかな？

「きゅきゅっ（見つからなければいいだろう）」

それはそうなんだけど。

魔力を操作して、ワンピースのドレスを取り出しパパッと着替えるとティアに「ひとりで出来てえらいですね」と褒められました。褒められたら（何かが）伸びるタイプなので、どんどん褒めてくれていいよ。

「ティア、かみにリボンむすんでー」

「ユリちゃんの髪はフワフワですね」

フワフワ猫っ毛はリボンを結びづらいのだ。ティアのようにサラサラストレートヘアは羨ましい。髪をおろしていると暑いので二つ結びにしてもらう。ツインテールと言わず、二つ結びというところがポイントだ。

「この国の服を着るのはどうですか？」

「それ、いいかも」

前世のインドっぽい布を巻く服もあるけど、アケト叔父さんがビアン風の模様が刺繍で入っているチュニックと幅広のパンツという感じの服を用意してくれているんだって。

ふむ。もらえるものは、ありがたくもらっておこうではないか。

「アクセサリーもありますが、それは後にしてまずは朝食にしましょう」

「うん。おなかすいたー」

昨日は軽食くらいしかとってなくて、夕飯をとらずに寝ちゃったからね。

「ベルとうさま、おまたせしました」

「……」

「う？　ベルとうさま？」

「……」

しばらく無言だったお父様は、一瞬で間合いを詰めて水晶のようなものを取り出す。それを色々な角度から映すようにしている。

もしやそれはカメラのようなものなのかな？

「……その、愛らしい髪型は？」

「ティアにむすんでもらったの」

ジッと私を見ていたお父様は、こくりと頷くと真剣な表情をティアに向ける。

「……何か望むものがあれば言うといい」

「ありがとうございます。閣下」

どうやらすごく気に入ってくれたみたい。やったね！

朝食は香辛料の入ったお茶と果物のジュース。ピタのようなパンに、豆中心のサラダやソーセージ、スクランブルエッグを挟んで食べるそうな。

やはりインドっぽい国だからカレーとかあるのかな？　食については大きく違うものはないと聞いていたから、刺激の強いものはないかもしれないなぁ。

この国では床で食事をとるのがマナーなんだけど、客室だからか椅子とテーブルがあるし、カトラリーも置いてある。

オルフェウス君はもう食事をすませていて護衛の仕事についてもらっている。

皆は私が大勢で食事をするのが好きだと知っているからか、朝食はティアが一緒にとってくれることに。嬉しい。

テーブルのすみっこでは、モモンガさんが果物を食べていた。

「おうきゅうのひと、ここにはいないの？」

「閣下が見張り以外は必要ないと断っているそうですよ」

この場にランベルト・フェルザー侯爵はいないことになっている。だからお父様がアロイスモードじゃない時、ティアは閣下呼びをしている。オルフェウス君は普通に侯爵サマって呼んでいる気がするけど。

この国では正式にお披露目されていないとはいえ、私たちを取り巻く状況は微妙だ。王宮の使用人をなるべく近寄らせないに越したことはない。

デザートにさしかかったところで、ふとお父様を見てみた。

セバスさんから渡された書類を見ながら、優雅にお茶を飲んでいるお父様。お仕事の邪魔をしたらダメだと思いながらも、勇気を出して気になっていたことを聞くことにする。

「ベルとうさま、うたげ、きょうやるの？」

「……ああ、夜の宴か。幼な子には辛いと申し出ておいたら昼食はどうだという誘いがあった。噂の『予言の巫女』も来ると聞いている」

なるほど。昼食なら幼女でもいけるよね……って、『予言の巫女』ですと!?

「お嬢様、遺跡探索の時に会われた御方ではないと思われますよ」

「カイナおばあさまじゃない？」

「めったに表に出ない御方との噂を聞きました。ですから、本日の昼食にご参加されるのは別の御方かと」

実は元々優秀だったセバスさんの情報収集能力は、さらに能力が数倍ほど強化されたそう。その理由は精霊と契約をしたからなんだって。すごすぎるよね。さすセバ精霊。

そんなセバスさんからの情報に、お父様の眉間のシワがどんどん深くなっていく。

「予言なぞ信用できん」

なんか今のお父様の言葉、昭和のお父さんって感じの言い方だったなぁ……。

25　とうとう出会ってしまう幼女

ゆっくりとした午前を過ごし、昼食会の時間となった。

建物を出ると見張りの兵士さんに「王族が食事をとる建物へ移動する」と言われた私は、その規模に圧倒されていた。

「この国は基本二階以上の建築をしない。砂嵐（サンドストーム）があるからな」

「あらし、ですか？」

「王宮を囲む壁も、風が抜けるような造りになっている」

そういえば、私たちが宿泊していた場所も布で仕切られていたっけ。あれは嵐の時に布を畳（たた）んで風が通るようにしているのか。

アロイスモードのお父様がスラスラ説明してくれているから、なるほどと頷くだけになっている私だけど、ふと前を見ると案内の人が所在なさげにしていることに気づく。

ああ、お仕事を取ってしまいましたね。うちのスパダリお父様がすみません。

ところで、部屋を出た時に控えていたフンドシ褐色マッチョたちは、もしや私を「輿」に乗せようとしていたのでは……。

「王族の移動がアレだと？　まったくふざけている」

お父様のご機嫌が悪いのは、あのマッチョたちのせいだけではない。

私は今、セバスさんに抱っこされているからなのだ。

「おい、侯……アロイス、魔力に気をつけろよ」

「私たち三人は、ユリちゃんの護衛ですからね」

「……わかっている」

オルフェウス君とティアの言葉に、しぶしぶ頷いているお父様（アロイス）。

セバスさんは戦闘もできる世話係として付いてくれているけど、他三人は護衛としてビアン国にいるのだ。

本当は王宮に入れない予定だった冒険者のオルフェウス君も、アケト叔父さんの口利きで入ることを許されている。

ちなみにアロイスは冒険者ではあるものの「フェルザー家の末席」に所属していると登録されているため、貴族として許可をとれば王宮に入ることができる。

一番すごいのはティアで、『巡礼神官』である彼女は基本的にどこでも受け入れてもらえる資格を持っているとのこと。さすが私の親友だね。（ドヤァ）

「あの、ふくはこのままでよかったのかな？」

「とても愛らしゅうございますよ」

お父様に勝るとも劣らない安定感バツグンのセバスさん抱っこで、私はソワソワしている。

今の私は、お屋敷から持ってきたものではなく、ビアン国の服を着ているからだ。

「もともと用意されておりましたし、この国の慣習として室内では気軽な服装をするのが普通のようですよ」

「ドレスじゃないから、しんぱいだったの」

セバスさんの言葉に安心した私は、庭を眺めながら小さく息を吐く。

昨日は王様と少し挨拶しただけで終わったから、これからガッツリ話すことになるのは気が重い。幼女とは人見知りをするものなのだ。

ちなみに、服と同じ布で作られた小さなポシェットはモモンガさんの寝床になっていて、ちゃんとおやつの木の実も入れているよ。

外の廊下には屋根があるから涼しい。それでも砂漠の気候はしっかりと感じるから、武装して歩いていると暑いだろうなと思う。

案内の人は慣れているみたいだけど、お父様たちはそうはいかない。お師匠様お手製の体温調節の魔法陣を仕込んでおいてよかった。

そんなことを考えていると、オルフェウス君が案内の人に声をかけた。

「なぁ、昨日から聞きたいことがあったんだけど」

「はい。私に答えられることであれば……」

「後ろからついてくる王族の移動用の奴らって、他になんの仕事してんの？」

「あの肉体を維持するために、特殊な訓練を行なっております」

「それだけ？」

「それだけです」

それだけなんだーって思うけど、案内の人は任期は短く花形の仕事だと熱く語っていた。

特に女性の王族には人気だという。一回くらいは乗っても……いや何でもないです。


「昨日ぶりだな！　姫よ！　休めたか！」

「おこころづかい、ありがとうございます」

「堅苦しいのは抜きにしよう！　同じ王族であるからな！」

「かんしゃします」

王様の厚意はありがたいけれど、まだビアン国の王族の一員として名乗りたくない気持ちが私の中にある。

実の父親のことは小さなユリアーナを迎えにきたことで許しているけれど、その兄弟である王様たちに心は開いていないのだ。

幼女の人見知りパワーを舐めてもらっては困る。

「……陛下、もう少し声を落としてもらえませんか。姫が驚いていますよ」

「そうか！　すまぬ！」

食事をする建物って、どんなすごいところかと思ったら、東屋を大きくしたような場所だった。

例のごとく窓はない。でも庭の噴水は陽の光に反射してキラキラしていて、心地よい風が入ってくる贅沢な空間になっている。

毎度のことながら、防犯対策について気になる造りだよね。

「客室とは違って、ここはビアン風に食事する場所となっているよ。大丈夫かな？」

「だいじょうぶです」

アケト叔父さんに（セバスさんに抱っこされたまま）エスコートされながら、豪奢な絨毯が敷かれたところに案内される。

そこには所狭しと食べ物が置かれていて、座椅子のような形のクッションに座るようすすめられた。

「スープ、たくさんある……」

「それはスープの中に小麦の麺が入っているのだ！」

「めん？」

そのスープはとてもいい香りがしている。

どこか懐かしく感じるその香りは、ずっと求めていたもので……。

「こ、こ、これは……」

「お嬢様？」

ワナワナ震える私を心配するセバスさん。

とりあえず床におろしてもらえますか？　そしてそのスープに浸かっている麺料理について、詳しく知りたいのですがががが。

「すまぬ姫！　我が最愛の巫女姫も参加予定だったのだが！　少々遅れるそうだ！」

「我らのユリア……お嬢様も、軽く見られたものだ」

お父様が不機嫌マックスだけど、私は構いませんよ。人見知りしているので好都合ですよ。

それよりも、早く麺料理を食べたいです。

「姫を軽んじることなどせぬ！　それよりも、姫が興味を持っている麺料理を振る舞おうではないか！」

王様には思いっきりバレていた模様。

「よければ護衛の人たちも一緒にどうぞ。ここは大量の魔石を使って結界を張っているから安全なのだよ」

アケト叔父さんの優しさに、皆が席につく（床に座る）ことにした。セバスさんはお世話係のままでいるようだけど、お父様が膝抱っこしたがっている雰囲気を出しているのはスルーしておきますね。

王様とアケト叔父さんの所作を見ていたところ、なんと用意されたのは長く細い棒が二本！

この道具は！　お箸！

「我が国では食事を手でとるのが基本ではあるのだが、この麺料理はスープが熱いうちに食するものだと巫女が申してな！　作らせたのだ！」

「こうやって、指を使って挟むものなのだよ。刺すのはよろしくないそうだ」

この作法は！　日本風！

セバスさんに取り分けてもらって、いざ麺を……と思ったら、そっとフォークを握らされてしまった。

たしかに幼女の手には長すぎるし、指先がうまく動かないのだけど……できればお箸を使ってみたい。

「これを使ってみたいのか？」

「あい」

「ほら、こうやって使うといい」

いつの間にか背後にいたお父様(アロイス)は、後ろから包み込むように腕をまわし、一緒にお箸で麺を取ってくれる。

「あちゅい？」

「んんっ、そうだな。冷ましてやろう」

湯気がたっている麺に臆(おく)していると、お父様がフーフーしてくれた。

お父様が！

フーフーしてくれた！

「んー、おいしいぃ……」

「そうか、ほら、もっと食べるといい」

お父様のフーフーに感動しながらも、あっさりとしたスープとツルッとした麺にも感動している。

これは、異世界のラーメンだ!!

26　異界の巫女は幼女を導きたい

だがしかし、ラーメンにしてはスープが爽やかすぎるわけで。

野菜と鳥っぽい出汁かなぁと予想するけど、圧倒的に味が薄すぎる。

幼女の舌でも物足りなさを感じるということは、何かしらの素材が足りないのだろう。

オルフェウス君とティアを見てみると、意外にも器用に箸を操っているではないか。ぐぬぬ有能な人たちめ！

「かなり味が薄いな」

「悪くはありませんが、もうひと味欲しいですね」

「うむ！　であるならば、我が国の香辛料を追加していくがよい！」

二人のオブラートに包まない意見に対し、王様は特に気分を害することもなく、ラーメンの器の近くに置いてあるいくつかの瓶をすすめてきた。

塩と胡椒はともかく、このオレンジ色の油は何だろう？　ラー油？

「へぇ、辛いの入れると味が変わるなぁ」

「これは魚を使った調味料ですね」

オルフェウス君は辛党だったみたい。そしてティアは並んでいる調味料に興味津々だ。

「うむ！　好みならば追加されよ！」

上機嫌で味変をすすめる王様を見た私は内心驚く。

この世界では、出された料理の味を変えることはマナーに反するとしている国が多いはず。

それに反するような料理を出すとは、ビアン国には革命児がいると見た！

「我が最愛の巫女が『本当のもてなしとは相手を喜ばすことで、自分たちの価値の押し付けではない』と言っておった！」

うーん。これは決定的と言いますか。

王様が溺愛しているという『予言の巫女』って、もしかすると日本の……。

「オクレマシター！　ワタシ、メン、ツクッテタヨー！」

えっと……どこのどちらさんですか？


「ヤダー！　カワイー！　マホウショウジョ？　マホウヨウジョ？」

「はじめまして。ユリアーナ・フェルザーともうします」

「カーワーイーイー！」

うん。やっぱり『予言の巫女』は日本人っぽいね。

幼な子を愛でている王様とか噂されていたけど、確かに一般的な日本人体型であればこの世界では幼く見えるだろう。私が見たところ彼女は高校生くらいだと思うのだけど……。

「巫女よ！　姫も麺料理を気に入っていたぞ！」

「ヨカッタ〜。オヒメサマ、キニイッテクレタノネ〜」

しっかりと日本人っぽい外見の『予言の巫女』は、黒髪黒目の清楚な女の子といった感じだ。

そんな彼女の口から出てくる片言の言葉に違和感がすごい。

「……『予言の巫女』は、異界から来られたとか？」

「公開はしておらんが、このとおり周知の事実であるな！」

「ヨロシクネー！」

ああ、この子すごく元気なタイプだ。陽キャではなさそうだけど健康的な明るさを感じる。

前世の私は、しっかりオタクだったからなぁ……まぶしいぜ……。

それにしても、私は転生だったからか言葉は通じるし、ありがたいことに何かのスキルで文字も書ける。彼女は異世界特典みたいなものはなかったのだろうか。

「トコロデ、ヨハンキュン、ゲンキ？」

ヨハンキュン、とは？

「オニイサン、イルデショ？」

「あ、はい。げんきです」

「巫女よ！　他の男の話をするとは……」

「ハイハイ、オウサマガイチバンデスヨー」

なぜだろう。前世で男友達から聞いたキャバクラを思い出す不思議。

そんな失礼なことを考えていたら、ふたたび彼女は私に目を向ける。

「ヤミオチ、カイヒ、オメデトウ」

闇堕ち回避？　お兄様がそんなことになるの？

そしていつの間にか私を膝抱っこしているお父様から、わずかに殺気を感じるのですが。

すると、王様が何かを散らすような手の動きをして、室内にいた王宮の人たちが一礼して出て行った。

「巫女、人を遠ざけたから普通に話すといい」

「あ、そう？　よかった。お姫様たちに色々聞きたくてさ」

「ならばそう言えば良いものを」

巫女どころか、王様まで話し方が変わっている。

どうやら王宮の人間に向けて演技をしているらしい御二方。アケト叔父さんについては、どっちもそのままっぽいけどね。

「未だ先代の手のものがいるからな。今代の王は異界から来た『予言の巫女』に夢中な愚かな者だと思わせている」

「私も、イセカイノコトバ、ヨクワカリマセーンってことにしているよ」

王様が自分を偽らなければならないほど不安定な状況の中、私たちを受け入れて大丈夫だったのかしら？

デザートの果物の盛り合わせをいただきながら、私は王様と巫女をじっと見る。

「よげんのみこさま、ヨハンおにいさまがどうしたのですか？」

「私のことはミコって呼んで」

「ん？　ミコさま？」

「……名前がミコっていうの。狙ったわけじゃないよ？」

なるほど。『予言の巫女』であるミコちゃんは、異界からやってきた女の子なのね。把握しました。

ふむふむと頷いている私にミコちゃんは話を続けていく。

「闇堕ちを回避できた理由については、まずお姫様……ユリアーナが無事であることが第一条件ではあるの。私の知識にあるヨハンきゅんは、家族の愛を得られず孤独な美少年って感じだったから」

「こどく……」

お兄様には、お父様も私もいるから孤独じゃないはず。

「ヨハンからの報告にも似たような内容があった。学園で妙な行動をとっている女生徒から孤独を癒したいと言われたと」

「勘違いしないでほしいのは、私の知識はあくまでも異界のものであって、この世界で通用するかは分からないってこと」

「……ふむ。ヨハンの言っていたアレとは違うということか」

またしても殺気が漏れていたお父様。でも、冷静なミコちゃんの言葉で無事におさまったみたいです。

魔力の漏れは危険だとあれほど話していたのに……と思ったけど。

私とお兄様に関してのみ感情のコントロールが甘くなるのは、それだけお父様の愛情が深いってことだよね。むふふ。

「氷の侯爵様も激変して、すっかりお姫様にメロメロだもんね」

「当たり前だ。ユリアは唯一だからな」

呆れた様子のミコちゃんに、なぜか堂々と返事をするお父様。いや、今はアロイスだから侯爵様呼びに反応したらダメなのでは。

ひと段落ついたところで、食後のお茶を優雅に飲んでいたアケト叔父さんから爆弾が投下される。

「先ほどから気になっていたのだけど、フェルザー侯爵は不在という形で進めてよいのかな？」

「ふぇ？　あ、はい。ベルとうさまは、ふざいです」

なんかここにはもう関係者しかいないし、お父様は元の姿でよいと思うよ。

アケト叔父さんはアロイスがお父様だっていうのを知っているから、王様に報告しているのは予想できる。

だがしかし、ミコちゃんにまでバレているのは……。

「この姿の時は冒険者アロイスだ。アロイスと呼べ」

「あ、はい」

正体がバレている中でも堂々とアロイスと名乗るお父様に、さすがのミコちゃんも「はい」って言うしかなかったのでした……。

27　要望はしっかり叶えてもらう幼女

気を取り直したミコちゃんは、一冊の本を差し出した。

見てもいいのだろうと手に取ろうとしたら、本が半透明になってすり抜けてしまう。

この状況、どこかで見たような……。

「遺跡にあった秘薬と同じようなものか」

お父様（アロイス）の言葉に、ミコちゃんはこくりと頷く。

「これは元の世界から持ってきた本なんだけど、私にしか持てないみたいで……『攻略本』って呼ばれているものなんだ」

こーりゃくぼん……攻略本!?　ゲームをプレイするにあたって、効率よくクリアするために使う人もいるという、あの禁断の本!?

「攻略っつーことは、戦いについての策略とか書いてあるようなやつか？」

「そのような書物でしたら、巫女様のような御方が持つものではないと思いますよ」

物騒な考えを語るオルフェウス君に、ティアが苦笑している。

やり取りをしている二人に、ミコちゃんはぐぬぬと唸った。

「隠しキャラのオルフェウス、特殊イベントで登場するクリスティアが、なぜビアン国に来ちゃったのかってことよ……」

「ティアとお呼びくださいませ」

「あ、はい」

ふたたび「はい」しか言えなくなってしまうミコちゃん。

お父様に続いて、うちのティアも癖が強くて申し訳ないっす。

「つまり、そのコウリャクボンとやらには、何かしら我らの情報があるということか」

「そうそう。ここには『光と闇に愛されて』という乙女ゲーム……ええと、架空の物語の登場人物について詳しく載っていて、これから何が起こるのかある程度予想できるの」

はい。ちょっと待ってくださいよ。

乙女ゲームの攻略本という言葉に、オルフェウス君とティアがキャラとして載っているってミコちゃんが話しているけど……。

ちょっと待って。この世界って、私が考えたキャラが存在しているんだよね？

乙女ゲームって何？　私、何も聞いてないんですけど？

うーん、ミコちゃんと二人きりで詳しく聞きたいけれど、そんなの護衛(かほご)たちが絶対に許してくれないよね。

「だからね、私は『予言の巫女』ではなくて、『予言の書を持つ巫女』が正しいと思うのだよ。うむ」

それはどっちでもいいと思うよ……ミコちゃん……。

ドヤ顔で胸を張っているミコちゃんに、お父様は冷静に問いかける。

「結局のところ何が言いたい？　その書物を我らに見せた理由は？」

「そうそう！　これを見て……も分からないと思うけど、私が元の世界ですべて記憶するほど読み込んだ内容が変わっていたんだよ！」

ミコちゃんが広げて見せてくれたページには、美麗イラストのキャラクターと日本語で説明書きがされている。

「これは……ヨハンか？」

「ヨハンきゅんです」

さっきから気になっているのだけど、なぜお兄様をきゅん呼びなのだろうか。

お兄様のイラストはキラキラしているけど無表情で「氷の貴公子と呼ばれるほど表情が動かない」とか説明されちゃっている。

けっこう微笑んでいるところを見るけど、表情豊かなのかと聞かれたら違うかもなぁ。

「書いてある内容が変化したのに気づいたきっかけは、ユリアーナ姫なの。このヨハンきゅんのところに『父を尊敬し、妹を溺愛している』ってあるでしょ？　前は『亡き妹への悔恨から感情を押し殺すようになった』って書いてあったのよ」

ミコちゃんが亡き妹と言った時、お父様が怒るかと思ったら静かだったよ。

さすがに架空の物語という前提で、いちいち反応しないよね。

「国王陛下は、かの者の話を信じておられるのか？」

お父様の言葉に、王様は力強く頷いた。

「うむ。巫女に命を助けられたからな。信頼も信用もしている」

「私はこの本に書いてあったことを伝えただけで、大したことはしていないよ」

そう言ってミコちゃんは、少しションボリとした表情をしながら続ける。

「この本の内容が変わっていることに気づいたのは、すこしまえに王宮の魔法使いたちが騒いでいた時なんだよね。なんか世界が動いたとか何とかって……私は魔法とか使えないからよく分からなかったけど」

「せかいが、うごく？」

思わず声に出してしまった私は慌てて口を閉じる。

すると王様は緊張する私に気づかないのか、ミコちゃんに向けて大仰に頷いてみせた。

「うむ。高い魔力を持つ魔法使いどもが騒いでいたな。しかし、あれらは敏感すぎるのだ。先日のように北の方から爆発音が聞こえたのならともかく……」

今度は私のすぐ後ろにいるお父様がわずかに動いた。

オルフェウス君の物言いたげな表情や、ティアとセバスさんの慈愛に満ちた視線が妙に刺さります。はぅん。

そう。

ビアン国の魔法使いさんたちが騒いでいたのは、たぶん私が『世界の理』を変えた時のものだろう。

そして王様が言っていた北から聞こえた爆発音は、私が精霊界ではぐれた時にお父様が魔力を爆発させた時のものだろう。

なんか父娘そろって騒がせているみたいで恥ずかしくなってくるのですががが！

「というわけで、私の推しの一人であるヨハンきゅんが元気そうでよかったし、妹のユリアーナ姫が無事に秘薬をゲットできて良かったなって思ったの」

「ごしんぱいおかけしました？」

「うふふ、いっぱい心配したよ」

ミコちゃんの笑顔にほのぼのとしていると、アケト叔父さんが立ち上がる。

「では、そろそろ執務に戻らないとね。我が姫君は何か要望はない？　欲しいものとかでもいいよ」

「ようぼう……ミコさまと、もっとおはなししたいです」

「うーん、それは陛下か私が同席してもいいなら」

「はい。おねがいします」

さすがに国家機密みたいな本をもっているミコちゃんは、私たちと仲良くなるのはよくても「ライン引き」はされてしまうのだな。

もう少し、向こうの知識とか生きかたとか知りたかったんだけど……。

王様の独占欲って説もなきにしもあらずだけどね。

「他には無いかな？」

「おそとに、でたいかもです」

「王宮の外にかい？　そうだね……陛下、どうします？」

アケト叔父さんの声かけに、王様は「どうしますと言われても」と軽く肩をすくめてみせた。

「姫もそちらの護衛も、我が王宮の手練(てだ)れを簡単に倒すほどの実力者だ。出入りの報告をもらえれば自由にしてもらっていい」

「というわけだよ」

「ありがとーございます！」

やったぁ！　観光ができるぞ！

28　とうとつに讃えられる幼女

ビアン国の特産品である織物が並ぶ市場には、素材となっている動物の毛皮も至る所に置かれていた。

砂漠で毛のある動物といえばラクダを思い浮かべる人が多いかもしれないけど、この国の北側は山が多く羊を飼っている遊牧民がいるんだって。

いや、私たちはそこを通ってきたはずなんだよな……遊牧民いたっけ？　エルフの街まで何もイベントはなかったような……。

彼らは砂漠の街まで遠征し、羊毛で買い物をするとのこと。特に王宮近くには機織(はたお)り職人や染物職人が集まっていて、彼らによってビアン国の特産品が生まれていると教えてもらったよ。

……お父様にね。

私が観光をしたいと言った日、セバスさんたち『影』の協力のもと大急ぎで街の情報を集めてくれたそうな。

「とうさま、ゆうぼくみん、みれますか？」

「今は乾季だから、この近辺には居ないだろうな」

「かんき……」

「塩の街もずっと晴れていただろう。遊牧民は羊たちが好む草が生えている雨の多い地域へ移動しながら生活をしている」

なるほどねー。

群れている羊たちを見てみたかったので、ちょっと残念。

「ビアン国の滞在中に雨季がくる。その時にでも見にいこう」

「あい！」

オルフェウス君とティアは少し離れたところから護衛してくれている。

セバスさんは執事服が目立つかなと思ったけど、びっくりするくらい周囲に溶け込んでいるのがすごい。さすセバ。

王様が護衛の兵士でも寄越しているかと思いきや、見張りを数人置いてあるくらいみたい。（モンガさんが教えてくれた）

織物を並べている店がひと区切りつくと、食品や日用品、貴族以外の人たちにも手が届きそうな安価のアクセサリーを取り扱う店も多くなってくる。

「きゅっ（我の木の実も頼む）」

了解でーす。私もアクセサリーとか買っちゃおうかな。

せっかくの観光だからと、すっかりお気に入りのビアン国風衣装を着ている私。

お父様（アロイス）たちも、元々用意していた砂漠用の装備になっているよ。北の山で着ていたものは、あくまでも砂漠の夜用ですからね。

国に帰ったら着れないだろうなぁ……動きやすいのになぁ……。

なんとなく、前の世界でも海外旅行で民族衣装を買った時のことを思い出す。せっかく買っても着る機会が無いんだよな。アレ。

動きやすい服装のおかげ（?）で、今日は自分の足で歩いておりますよ。

「ふむ、ネックレスや指輪だけでなく、腕や腰や足にまでアクセサリーを着けるのだな」

「シャラシャラって、おとがきれいです」

「旦……アロイス様、せっかくですからお嬢様にいかがでしょう」

「ふむ、このような価値のないものをか?」

ひぇ、お父様（アロイス）ったら、お店の人がいる前でなんということを……と思ったら、セバスさんがしれっと精霊で音声遮断をしていた。さすがすぎる。

「あ、そうだ。ティアもいっしょにかおう」

「え?　私もですか?」

驚いた表情のティアに、オルフェウス君は笑顔で頷く。

「護衛なら俺だけで……師匠もいるし大丈夫だ。お嬢サマとゆっくり買い物しろよ」

「ありがとうございます。オルリーダー」

やったー！　この世界で女の子同士で買い物してみたかったんだよね。

特にティアは可愛いしたゆんたゆんだし、色々と着飾らせたくなるのだ。

「ですが、私は神官なので華美なものは……」

「しんかんはダメなの？」

ティアの言葉にしょんぼりとする私を、お父様がすかさず慰め抱っこする。

「セバス」

「ティア嬢、華美なものでなければよろしいかと。こちらの白い石をはめた銀細工のものであれば、神官の方でも身につけることができますよ」

「え、あ、はい。ありがとうございましゅ……」

おお、ティアの顔が真っ赤だ。

そして彼女がアワアワしている間に、ささっとお会計まで済ませてしまったようですよ。あ、自分の財布を探してまたアワアワしてる。

動揺しているティアを見れるとは、なかなかに珍しいですな。

「おと……アロイシュ、これ、かわいい」

私が手に取ったのは綺麗なアイスブルーの石がついているチョーカーだ。

「店主、この石を使った商品で、ひと揃えになっているものはあるのか？」

「うちは頭のてっぺんから爪先まで、全身飾れるぜ！」

「それを頼む。あと、この紫の石が入っているものを」

「あいよ！　毎度あり！」

こう見えて（？）私もお小遣いを持っているからこれくらい支払えるけれど、お父様が優しく背中をポンポンしてくれるので甘えてしまう。

お屋敷でも色々与えてくれてはいたけれど、こうやって目の前で選んで買ってくれたことは初めてだ。

どうしよう。なんだかすごく嬉しい。

「えへ、えへへ」

「どうしたユリア？」

「えへへ、なんでもないでしゅ」

ニヨニヨしていたら久しぶりに噛んだ。


首だけがユラユラ揺れる謎の動物の置き物とか、果物に穴を開けたらそのままジュースが出てくるようになる魔道具とか、見てるだけで楽しい買い物をティアと楽しむ。

その間にもオルフェウス君とセバスさんは粛々（しゅくしゅく）とスリや万引きする輩を捕まえては、近くにいる人に引き渡していた。二人とも働き者ですな！

がっつり買い物を楽しみたいので、お父様（アロイス）抱っこは控えてもらっている。

でもしっかりと手はつないで、買ってもらったアクセサリーをシャランシャラン鳴らしながら歩くのは楽しい。

「セバス」

「はい。ここの職人にいくつか作らせましょう」

お、おう。いつになっても貴族の感覚には慣れませんな。

しばらく歩いていると、ふと目の前に真っ白なものが並ぶ店が現れる。おお、これは塩の結晶ですね。

あと羊毛の塊がわんさか……うわ、なんだこの大きな毛玉、モッフモフだな。

「なんと、救世の姫君ではないですか！」

モモンガさんと一緒に毛玉をツンツンしていたら、突然呼びかけられて振り返ると、なんかすごく眩しくて相手の顔がよく見えないです。

ふぉぉ、美形はもう慣れているつもりだったのに……。

慌ててオルフェウス君を見て深呼吸する私。よし、落ち着いた。

「おい、なんか失礼なことに俺を使ってないか？」

「あんしんできるので、つい」

声をかけてきたのは、眉目秀麗（びもくしゅうれい）な輝かんばかりの美貌の男性エルフだった。一体なんの御用か聞こうとしたら、セバスさんがそっと耳打ちしてくれる。

「ここの店主ですよ」

「え？　ここの？」

エルフなら塩はともかく、羊毛が並んでいるのはなぜだろう？

「救世の姫君、私は遊牧エルフの民です。移動ついでに塩を仕入れ、ここで店を出しているのですよ」

ほうほう、そうなのですね。

ところでそのキューセイのホニャララとは何ですか？

エルフの男性に警戒する私の護衛たちに、なるべく早く説明プリーズなのですよ。

「これはエルフたちのみに伝わる秘術なのですが！　恩人である御方ですからお教えしましょう！」

輝かんばかりの美貌に笑みを浮かべながら朗々と語ろうとするエルフ店主。すかさずセバスさんが精霊を動かすのを感じますよ。さすセバ。

「私たちは世界樹と共にある種族でございます。ですが、あの大洪水で一部の同胞たちは他の大陸に移動せざるを得なかった……そこで秘術を使い、海の塩と枯れた世界樹から魔除けを作りました」

ふむふむ。それが魔獣よけにもなる『ビアンの花』が生まれた歴史なのね。

それがどうしたら初対面の私を姫呼ばわりすることに繋がるのかね？

「エルフという種族は、世界中のどこにいても世界樹さえあれば繋がることができます。それが加工されたものであっても、です」

まさか……エルフが作る『ビアンの花』って、通信機器になるってこと!?

29　不穏な空気を見た幼女

衝撃の事実に動揺する私たち……いや、オルフェウス君は知っているみたいだな。

他の三人は警戒モードから冷静に見守りモードに切り替わったようです。空気がピリピリしていたので、ひと安心です。

「とはいえ、これは私たちエルフだけが使えるものです。そちらの冒険者の方はギルド経由でご存じのようですが」

「ああ、そうだ。一部の高ランク冒険者にのみ、知識として持っておけと言われている」

「……姫君の護衛として恥じない実力をお持ちのようですね」

エルフ店主の驚きから察するに、オルフェウス君は高ランク冒険者の中でもかなりの実力者なのか。しかも国レベルで情報規制しているようなことを知っているとか……すごいなオルフェウス君。

いや、もちろん彼が強いことは知っていたけど、私の冒険者やギルドについての知識って「自分が考えたふんわり設定」止まりなんだよね。

今さらですが、自作品の主人公がつよつよだったと知る件について。

ふと、お父様(アロイス)を見上げると、ほんのり苦笑されてしまった。

「ユリア、私とて知らぬことはある」

「そうなのですか？」

こてりと首を傾げると、ふわりと抱っこされた私のすぐ近くに美しくお若いお父様の顔ががが。

「失望したか？」

「ふぇ⁉　そ、そんなことはないでしゅ‼」

いつも自信満々な人がしょんぼりしているとびっくりして噛んじゃうし、ドキドキするよね？

あ、噛むのは私だけですかそうですか。

すぅー、はぁー、くんかくんか。……よし、落ち着いた。

遊牧するエルフたちが塩の街で行った私たちの所業を知っているのは、世界樹から秘術で作った『ビアンの花』から情報を得られるからということですね。まるっと把握です。

そしてひっそりとエルフを敵に回すとヤバいなって思ったり。

「ところで、聖獣様たちはいらっしゃらないのですか？」

「おうきゅうでおるすばんしてる」

「では、もしこちらをお好きでしたらどうぞ。希少な木の実です」

「ありがとー」

布ポシェットの中で、モモンガさんがわずかに動いて反応している。

うんうん、分かっているよ。世界樹の復活はモモンガさんのおかげだもんね。木の実はモモンガさんにあげるよ。

ウコンとサコンには別のお土産を買ってあげよう。

「きゅ……（我のを分けてやるのだ……）」

うむ。さすが私のモモンガさんだよ。優しさが天元突破しているね！

今度は照れたようにモゾモゾと動くモモンガさんを、ポシェットの上からポンポンと叩いていると、エルフ店主が木の実ともうひとつ手渡してくれた。

どうやら羊毛を固めて動物の形にした置き物のようだ。いや、まさかこれは……。

「ようもうふぇると……」

「さすが姫君、よくご存じですね。これは羊毛を固めて作った人形で、王宮の『予言の巫女』が広めてくださったものです。羊毛で新たな特産品が生まれたので、嬉しい悲鳴をあげていますよ」

羊毛を針でつつくと出来る、あの羊毛フェルト……。

私は絶望的に向いていなくて物体Xを作りまくったけど、友人は得意で色々なキャラクターを作っていたなぁ。推しキャラを羊毛で作るとか器用すぎるでしょ。

いや待てよ？

今世の私ならば、手先が器用になっていたりするのでは？　歌はお父様とお兄様以外誰も褒めてくれないけど、手先の器用さはまだ未確認なのだ。

すると、エルフ店主が針を使って行うという羊毛フェルトの説明を聞いたお父様が、真顔で私を見てくるではないか。

「ユリア。まだ針を使うのは早い。もう少し大きくなってからだ」

「あい。ベルとうさま」

過保護なお父様からストップが入りましたとさ。

買い物をして満足した私たち。

次は食べ物の店でも……とエルフ店主の店を出たところで、通りが騒がしいことに気づく。

街の人たちがというよりも、巡回をしている兵士たちが声をかけ合いながら王宮へ向かっているのだ。

「セバス」

「精霊によると、王宮でクーデターが起きたとか」

「なっ!?」

驚いたのは私たちだけではなく、見張りをしていた王宮の兵士らしき人だ。

たぶん、彼は私たちから目を離すなと言われていたから、この騒ぎに交ざっていないのだろう。

もちろん彼が驚いた理由は「なぜその情報を知っているのか」だと思うけど……。

「ふむ……ユリアを安全な場所に避難させねば」

「まって、ベルとうさま！　そらがへんなの！」

私だけ安全な場所に行くのが嫌だというのもあるけど、空を見上げると妙な魔力の流れが見えるのだ。

お師匠様がいれば一発で分かるだろうけれど、なにぶん未熟な幼女は知識も経験も足りない。ぐぬぬ。

「私に見えないということは……魔力か」

「さっきまで、なかったの」

「どこに向かっているか分かるか?」

「むこう」

私が指さす方向には、予想通り王宮がある。

クーデターということは王様やアケト叔父さんの身が危ないということで。

「そういや、王宮にはまだ先代を支持する奴らがいるとか言ってたな」

「そんな……先代の悪政から解放されて平穏が訪れたと、街の皆さんも喜んでいましたのに……」

いつもは眠たげな目を鋭くさせるオルフェウス君に、祈るように手を組むティア。

ただ……。

「重要なのは、この騒ぎが本当にクーデターなのか、ということだ」

お父様の言葉に私は同意するように頷いた。

誰かが騒いでいるだけだったとしたら敵の狙いはクーデターを起こすことじゃない。

街のざわめきが消えたように感じる中で、お父様は静かに、でもハッキリと言葉にした。

「そうか、狙いは『予言の巫女』か」……と。

30　方向性を見失いがちな幼女

さて。このビアン国に関しては、王位を得るのに特殊な決まりがある。

ひとつ、多くの資産を持つこと。

ひとつ、王家の遺跡で管理者に認められること。

ひとつ、国にある資産の流れを読めること。

王位継承権は「資産の流れを読む力」で差が出るという話だ。

「なぁ、どうしてクーデターじゃないって分かるんだ？」

「おやおや、不肖の弟子は気づいていないのですね」

オルフェウス君の問いかけにセバスさんは冷たい微笑みを浮かべております。ぶるぶる。

私も説明しろと言われると怪しい。でも、この国の王位を得る方法を考えると、クーデターはおかしいと思うのだ。

こてりと首を傾げている私を抱き上げ、足早に王宮へと向かうアロイスなお父様。その後ろを付いてくる人たちに聞こえるよう軽く説明してくれた。

「簡単な話だ。王位が欲しければ資産を増やせばいい。それをこの国は許しているのだから」

「王位に届かない資産家たちが、私利私欲に走ってもいいってことか？　いてっ！」

「許しているというだけで、実際それが出来るかどうかは別の問題だ」

言葉づかいが悪いとセバスさんから軽く小突かれるオルフェウス君に、お父様（アロイス）は総スルーで会話を続けている。

「王は資産の流れが読める。だからこそ資産家たちの動きを調整することが可能だ。先代は王としての仕事をしていなかったから、資産家たちはやりたい放題だっただろうな」

「それを今代の王が抑制する流れになったから、先代派は根強く残っている……と」

「民にとっては今代の王の治政を望むだろう。それに反発するのは悪手（あくしゅ）だと、先代派は理解している」

かなりのスピードで歩くお父様に遅れをとらず、なおかつ息切れもしていないティアは表情を曇（くも）らせている。

「だからクーデターではなく他に目的があり、それが『予言の巫女』だと侯……アロイス様は考えてらっしゃるのですね」

「今代の王の弱みだからな」

そして、あわよくば一発逆転の可能性があるってことだよね。

世間の風潮で『予言の巫女』は、すごいこと出来そうって思われているのだから。きっと今回の首謀者は彼女を利用することも考えているに違いない。

「ユリア、魔力の流れは？」

「さっきとおなじ。へんながれのまま、おうきゅうにむかっているの」

「なぁ、お嬢サマは避難したほうがいいんじゃ？　王宮に行くなら、俺らは護衛だけに徹することは出来なさそうだしさ」

静かに悩むお父様の胸元に、しっかりべったりと張り付いてやる私。絶対に付いていくもんね。

「よろしければ、我らも手を貸しましょうか？　人手は多いに越したことはないでしょう？」

歌うように声をかけられた私たちは、ずっと気になっていたけど触れずにいた団体様に目を向ける。

彼らはずっと私たちに付いてきていた。誰も何も言わないから、私もそのまま放置していたのだけど、やっぱり彼らの行動はおかしかったと思う。

「エルフの民よ。そちらがお得意の『事なかれ主義』に反する行動ではないのか？」

「恩人に関係する御方の危機なのでしょう？　エルフの民が動く最大の理由になりますよ」

お父様のキツイ言葉にも、さきほど話していた遊牧民エルフの店主が代表するように堂々と言葉を返す。

でも、どうしても訂正したいのは、世界樹の件はモモンガさんの活躍だということ。

そして私は何もしていないということ。

「きゅきゅっ（我の功は主の功でもある。間違いではない）」

モモンガさん……ウコンサコンには厳しいけど私には甘いのね。

「きゅっ（我は主を甘やかすタイプの精霊王なのだ）」

そんなタイプ別に精霊王がいるなんて知らなかったよ。モモンガさん。

とりあえずポシェットにいる毛玉状態のモモンガさんを撫でておこう。モフモフ。

「ユリア、どうする？」

え？　私ですか？

エルフさんたちが危なくないなら、助けてもらえるといいかなぁって感じかな？

お礼を言うことくらいでしか返せないけど……。

「そうか……ユリアは何も返せないが、協力したいというのであれば拒否はしない。ただ、そちらも安全対策はとっておくようにと言っている」

「あの……今、姫君は何も仰っていなかったような？」

さすがのエルフ店主もツッコミを入れている。

そうだよね。分かるよ。私もいつも不思議だなぁって思うからね。

「お礼は不要です。エルフの民は聖獣様が従う姫君の助けになれるだけで、とても幸せなのです」

「ユリアを悲しませるなよ」

「ははっ！」

おお、美麗なエルフさんたちが跪いているのは壮観だ。

そしてめっちゃ目立っている。恥ずかしいので次に行きましょうよ。次に。

「手助けするのはいいが、エルフの民は何が出来る？」

「塩の街のエルフたちは魔力に敏感ですが、遊牧の民は魔力に鈍くなっています。姫君のおっしゃるような魔力の流れを読むことはできませんが、精霊と世界樹を通して人の動きを把握できますよ」

……なんですと？

「精霊って、契約とかしてるのか？」

「いえ、エルフの民と精霊は家族のような近しい存在ですから、契約などせずとも呼びかけるだけで力を貸してくれます」

オルフェウス君の問いかけに、何でもないように答えるエルフ店主。

お父様とセバスさんは契約したけど、それって大丈夫なのかしら？

「きゅっ（人と精霊は言葉が通じぬからな。言葉や心を交わし、繋がりを持ちたい精霊が契約をするのだ）」

なるほどねー。

おっといけない。こんなことをのんびり話している場合じゃなかったよ。

「世界樹を通じるというのは『ビアンの花』か？」

「ええ、我らが扱っている秘術の多くは世界樹を使用しております。その情報を得れば、状況を収めることも容易いでしょう」

こ、個人情報が……!?

慌てる私にキラキラしい笑顔を向けてくるエルフ店主。ちょっ、眩しいのでこっち向かないで。

「ご安心ください、姫君。これは有事の際にエルフの民にのみ開かれる力なのです。聖獣様や精霊たち、それを統べる精霊王様の許しが得られて初めて発動する力なのですよ」

なるほど。それが今まさに発動できる状態ってことか。

ちょっと待って。ということは、ここにいるモモンガさんが世界樹システムをオープンにしたよってことになるのでは？

「きゅっ（主のためならいつでも開くぞ）」

それは怖すぎるからやめてもろて。

「一人では処理しきれないので数人で行います。すぐに終わりますので、しばらくお待ちください」

「うむ」

闇雲に王宮へ乗り込むよりも、情報を得てからのほうがいいよね。

でも、なにやら徐々に幼女が幼女らしからぬ立ち位置にいるような気がしなくもなきにしもあらず。

31　予言について考える幼女

いつどこで手に入れたのかセバスさんが王宮の見取り図を広げ、エルフ店主たちが色々と書き込んでいく。

「こちらで王族の方々が交戦しているようです」

「敵は中庭に多く集まっているのか。『予言の巫女』はどこだ？」

「今はここに隠れているようです。王族の方々とは離れています」

お父様に次々と情報を伝えていくエルフ店主たち。

世界樹を使った秘術は『ビアンの花』だけではないそうで、遊牧民のエルフたちは羊毛の処理に世界樹の秘術を使っているそうだ。防虫と消臭のためなんだってさ。

だからビアン国民の多くは世界樹に触れて生活をしているというわけで。

「俺が先に乗り込んで敵の目を集めてくる」

「私も行こう」

オルフェウス君の言葉に同意したお父様は、見取り図から離れて剣を抜いている。

「お嬢サマはいいのか？」

「セバスに任せる」

お父様と離れるまさかの流れに、一番驚いているのは私だ。

思わずお父様の上着を摑むと、そっと手を離されてセバスさんに抱っこをチェンジされてしまう。

「いざとなれば私は元の姿に戻る。王族や貴族たちとやり合う時、オルフェウスだけでは厳しいだろう」

「ベルとうさま……」

「きゅきゅっ！（王宮内にウコンとサコンがいるから、手助けするよう言っておこう）」

ありがとうモモンガさん。

「ティア嬢、お嬢様に付いていてもらえますか？」

「は、はい！」

セバスさんの言葉に元気よく返事をするティア。

混乱する王宮内に入るのは危険だけど、ここでお父様たちをフォローすることはできる。

私は、私のできることをしよう。

「旦那様には私の精霊でエルフの方々の情報を伝えられます。お嬢様は魔力の流れを見てくださいますか？」

「あい！」

空は相変わらず妙な魔力の流れがあって、それは王宮の上で大きな渦を描くようにぐるぐると回っている。

魔力が視えるモードにピントを合わせていなくても目に入ってくるなんて、かなり強力なものだと思う。北の山の時と比べても桁違いだ。

王宮の門は閉ざされているけれど結界は解かれているみたいで、お父様とオルフェウス君は壁の凸凹をうまく使って飛び越えていった。

エルフ店主たちが呆気にとられているところを見ると、あの身体能力は普通じゃないんだろうな。

「きゅっ（主、ウコンサコンと連絡がとれた。今はミコという人間と共にいるそうだ）」

「モモンガさん、ミコさまをまもれそう？」

「きゅきゅ（うむ。容易い事であろうな）」

よかった。お土産いっぱい買っておいたから、あとでウコンとサコンにたくさん木の実をあげないとね。

現場にいなくても（私の力ではないけど）協力できることがあって良かった。

「あっ、まりょくのながれ、かわった！」

「お嬢様、どのように変わったのですか？」

「えーと、うずまきのまんなかが、ひだりにいってる」

「左ですね。承りました」

うん。私が言うのもなんですが、今の説明で何が分かったのかが謎すぎますよセバスさん。

「ユリちゃん、渦巻きってなんですか？」

「まりょくがグルグルってしてるのー」

「な、なるほど？」

おやおや分かっておられないようですね。

前の世界でラノベ作家だった私(ゆり)の語彙(ごい)力を駆使した説明を……嘘ですごめんなさい。表現力が雑魚(ざこ)でごめんなさい。

セバスさんが有能すぎて最近さぼっているから心の中では頑張るけれど、言葉にするなら魔力の渦巻きは細い竜巻のような感じだ。

自然現象の竜巻と違うのは、王宮に向かって流れ込んでいること。

さっきまでは空に吸い込まれるようだった魔力が、位置を変えたと同時に逆流し始めたのだ。

「お嬢様のおっしゃっている位置はこのあたりですか？」

見取り図を持ってきたセバスさんが指を差している場所は、さっきエルフ店主たちが世界樹ネットワークで割り出した『予言の巫女』がいる位置だ。

「きゅきゅっ！（ウコンとサコンの守りがあるが、長くは持たぬぞっ！）」

同じく魔力が視えるモモンガさんの鳴き声に焦りが交じっている。

さすがの私もこの状態は危険だと思っているけれど、いかんせん原因が分からないとどうにもできないのだ。ここまで大きな騒ぎになると、どこかの腹黒貴族がやらかしただけじゃない気がする。

なにより、お父様とオルフェウス君が王宮内にいるのだ。

「セバシュ！」

「行くことはなりません、お嬢様。旦那様のご命令です」

「でも、このままじゃ、まりょくが……」

私なら魔力を操作することができる。ちょっと筋肉が足りないかもだけど、頑張ればきっと……。

「ペンドラゴン様であっても、この状態は危険だと思われます」

正論を言われてぐぬぬとなってしまう。

私にだって分かっている。成長したユリアーナならばともかく、今の私は……。

ハッ!!　成長の魔法陣で大きくなればいいのではっ!!

「お嬢様は成長されても小さいので……」

「ユリちゃん、人それぞれ向き不向きがありますから……」

セバスさんもティアもひどい!!　大きくなることに向いてないって何!?

プンスカ怒っていたその時、セバスさんとティアが私を守るように体で覆ってくれた。

つい最近この感覚を味わった気がするよ。確かこれは……遺跡？

「あらあら、少し来ないうちに大変なことになっているわねぇ」

「おばあしゃま？」

白い髪を靡かせ、布を巻いたビアン風の装いで登場したのはもう一人の『予言の巫女』だった。

でもおかしい。彼女が『予言の巫女』であるならば、この状況は分かっていたはずでは……？

「ユリアーナちゃん。予言は起きてしまうことをねじ曲げることはできないのよ」

おお、心を読まれてしまった……というか、今のは顔に出ていただけかもしれない。

これまでもカイナお祖母様は色々と言われていたのかな。申し訳ないと思っていたら、カイナお祖母様は笑顔で頭を撫でてくれる。

「誤解する人は多いから慣れているわ。私の仕事は予言することじゃないの。起きてしまう被害を最小限に抑えることだから」

そう言って王宮へ視線を向ける。

王宮の中からたくさんの争う人の声が聞こえてくるけど、お父様たち大丈夫かな……。

「怪我人は出るけれど、亡くなった人は居ない。でも、私たちが動かないと死人が出るから覚悟してちょうだい」

「王族に連なる御方とはいえ、お嬢様に危害を与えることは許されません」

ブワッと何かを放つセバスさんに、カイナお祖母様はのんびりと微笑むだけでそれを受け流しているようにみえる。

ふぉぉ、なんかすごいことになってきたよ。

◇とある冒険者と氷の侯爵様は戦闘中

王宮内は騒然としていた。

俺らがここに来た時は人の姿をほとんど見ることはなかったのに、どこに隠れていたんだってくらい男女入り乱れて右往左往している。

アロイスは一瞬で周囲の状況を把握すると、無表情のまま呟く。

「邪魔だな。凍らせるか」

「物騒！」

王族たちが戦っているだろう中庭まで距離がある。力業で移動するのも手だが……。

「来る」

「おう！」

言われるまでもなく襲いかかってくる気配に、俺とアロイスは数回ほど剣をふるうことで無力化していく。

俺は自分自身の強さを規格外だと思っていたが、こいつも大概だなと思っている。

元の姿はランベルト・フェルザー侯爵サマだけど、今の姿は冒険者のアロイスで、頼りになるパーティーメンバーだ。この姿の時は、言葉づかいや態度を気にせずやり取りさせてもらっている。

派手に剣を振るっていたアロイスに返り血はない。もちろん俺にもだけど。

「殺さずにいく」

「情報を得るためか？」

「後で王宮にユリアが入ってきた時のためだ」

「あー、なるほどなー」

棒読みになってしまうのは許してほしい。

泣く子がもっと泣くと噂に名高い『フェルザー家の氷魔』とは思えない気づかいだと、ちょっとだけ遠い目をしてしまっただけだから。

「それに、此奴(こやつ)らには情報なぞないだろうからな」

「へ？　そうなのか？」

「見ろ。この手を」

襲いかかってきた奴らを見ると、王宮の使用人らしき服装をしている。

手には短剣が握られていて、アロイスはその指を開かせた。

「は？　血？」

「まったく慣れていない武器を無理やり使っていたのだろう。襲いかかってきた時の動きから、素人ではないはずなのに」

「必要にかられて……っていう線は薄いだろうな。操られていたのか」

「魂まで喰われてないといいがな」

「おい、それって……」

「来る」

いいところで来やがった敵に再び剣を振るい無力化させるも、やはり先程と同じく戦い慣れしていない体の持ち主だった。

「胸くそ悪いな」

「あの女、王宮での仕事をしていないのか」

「誰のことだ？」

「もう一人の『予言の巫女』だ。ここには『ハイイロ』の気配がする」

「なんだって⁉」

周囲を見渡しても、俺には感じ取れない。

そういえば遺跡の時も『ハイイロ』の気配があったと聞いていた。まだまだ修行不足なのかと歯がみしていると、アロイスは呆れたように俺を見る。

「そう簡単に感じとれてたまるか。微弱なものや隠蔽（いんぺい）された『ハイイロ』に気づく人間は滅多にいない」

「じゃあ、なんでお前は分かるんだよ」

「一度、身に入れたからだ」

そうだった。

侯爵サマがアロイスの姿になったきっかけは、お嬢サマが家出した時だった。しかもその時、禁

術を使って呪いに近い形で姿を変えていたのだ。

なぜそんな行動をとったのかと皆が不思議に思っていたら、原因は『ハイイロ』だったってなわけで。

「じゃあ、アロイスは魂を喰われるところだったのかよ」

「ユリアの助けがなければ死んでいた」

「マジかよ……」

そんなもんに大勢が操られているっていうのか？

これはもう王宮に入る前に話していた「クーデターじゃない」って推論は、ほぼ真実になるか。

ほぼっていうのは、襲撃者の中にクーデターを望んでいる人間がゼロではないと思うからだ。

会話をしながら奥へと進む俺たちは、襲撃者たちを丁寧に無力化していく。後々肝心なところで邪魔されたら面倒だからな。

「そういや、お得意の氷の槍とか使わねぇの？」

「氷は目立つ」

「あー、そうか。じゃあ俺がまとめてやるか」

師匠仕込みの技で、当て身程度の威力を複数展開する技を披露することに。

バタバタと倒れていく敵たちに、またしてもアロイスは呆れたように俺を見る。

「もっと早くやれ」

「忘れてたんだよ！」

師匠に「多くの技を覚えることが出来ても、とっさに状況判断して的確に使用出来なければ意味がないですね」と拳で頭をゴリゴリされながら言われたことを思い出す。

あのゴリゴリは思い出すだけでも痛い。

「ひとまず聖獣たちが王宮の『予言の巫女』と合流したらしい」

「なら俺らは王様たちを助けるってことか」

「そうだ。死なれるよりは生きていたほうが有効活用できるからな」

「モノ扱い！」

それでも、お嬢サマのために死者を出さないようにしようとするあたり、侯爵サマも変わったんだろうな。巷(ちまた)の評判とか、すごいからな。

「……なんだ？」

「いや、アロイスも成長したなぁって……あっ、いや、なんでもねぇっす」

「何を言っている？」

やべぇ殺されると思って身構えた俺に何か起こるわけでもなく。

隣を走るアロイスからは「何言ってんだコイツ」という呆れた目で見られてしまう。本日ぶり三度目だなこれ。

「成長しているのは当たり前だろう。成長することをやめた時、人は人として終わる」

「……そうか。そうだよな」

大人が皆、完ぺきなわけじゃない。

すべてを持っているような侯爵サマだって成長するために動いているんだ。

もしお嬢サマがいなかったとしても、他の誰と関わったとしても、この侯爵サマだけは変わらないんだろうなぁ。

そんなことを考えていると目的地に辿り着く。

まず感じたのは熱風だ。

「む。熱いな」

「誰だよ！　こんなところで火を使っているやつは！」

すかさずアロイスは氷の防壁を展開しているけど、氷系は使わないんじゃなかったのか？

混戦状態の最中、高らかに響くのは聞いたことのある笑い声だ。

「ハーハハハッ！　我に歯向かうとはいい度胸だなっ！」

「陛下！　火はやめてくださいって！」

おい。王宮で火の魔法を使うとか王族やべぇな……。

側近のアケトって人が慌てて止めているけど、王サマの魔法は止まらない。

襲撃者たちも火を恐れて手出しできないようだから、ある意味よかったのかもしれないけど……。

「ハーハハハッ！　これはどうやって止めるのだろうなっ！」

訂正。王サマは魔法を止められない。

「息の根を止めるか」

「物騒！」

魔法の発動は本人の魔力制御が大部分を占めている。それが出来ないと暴発したり魔力暴走にも繋がっていくんだよな。

俺、ほとんど魔法を使わないから知らないけど……。

「私が抑えるから、お前は物理でなんとかしろ」

「りょーかい」

言われた瞬間に駆け出し、王サマの背後から師匠仕込みの「気」の力で意識を落とすと、横にいるアケトって人は驚いた表情をする。

しかし火の魔法を抑え込んでいるアロイスを見て、即座に敵へ意識を向けたのはなかなか見どころがあるなぁと思った。

まぁ、敵に関しては俺がほとんど倒したんだけどさ。

32　その時を見ていた幼女

ビアン国の『予言の巫女』であり、王族でもあるカイナお祖母様は言った。

「ごめんなさいね。これは『予言の巫女』たる私の延長戦のようなものなの。でも、ユリアーナちゃんにお手伝いしてもらえたら死人がでないことは確かなのよ」

「やります！」

「お嬢様！」

「危険です！　ユリちゃん！」

セバスさんとティアの言うことは分かるよ。

でも、私が動くことで人が死なないと分かっているなら、動くべきだと思うんだ。

キリッとした目で二人を見上げれば、やれやれとため息を吐かれる。

「お嬢様は言い出したら聞きませんからね」

「ユリちゃんですものね」

説得するより早く納得されてしまった件について。嬉しいけどぐぬぬ。

唸っていると、エルフ店主たちが新しい情報を持ってきてくれた。

「王宮を襲撃した人間は行動不能になっているようです。残りはわずかなので、先ほどよりは静かになっているかと」

え？　行動不能？

ということは、王宮内は……。

「お嬢様、旦那様より襲撃者は生かして捕らえたとの報告がありました」

「ありがと、セバシュ」

よかったぁー！　血みどろの王宮を歩くかと思ったぁー！

ティアも胸を撫で下ろしている。神官である彼女にとって、暴力による人の死を見るのは辛いことだと思うから。

私はティアと顔を見合わせて笑顔でいると、まったく気にしていない様子のカイナお祖母様は空中で指を動かして王宮へと向かって行く。

そっか。カイナお祖母様は予言で死人が出ていないと知っていたのね。

うっかり当初のお父様の設定『フェルザー家の氷魔』を思い出して、つい怯えてしまったよ。ハハハ。

エルフ店主たちは外にいてもらうことに（皆さん聖獣たちと会いたがっていたけど必ず連れて帰ると約束）して、私とカイナお祖母様、セバスさんとティアで王宮内に入る。

カイナお祖母様がちょいちょいっと指を動かせば、城門はあっさりと開いて驚く。

「すごい！」

「ふふふ、私はビアン国内であれば、わりとなんでもできるのよ」

得意げな表情で王宮内を進んでいくカイナお祖母様に、ぽてぽてとついて行こうとしてセバスさんに抱き上げられる。

うん。わかってたよ。私の足じゃ追いつかないってことくらい。

「あらあら大量ね。倒れている人たちから『ハイイロ』がどんどん出てくるわぁ」

え、なにそれ。虫みたいで気持ち悪い。

カイナお祖母様の見ているものに目を向ければ、あちこちで倒れている人から何が出てきては消えていく。

どこにいったのかな？　また誰かの中に入ったりしない？

「これは私が責任をもって集めるから大丈夫よ。ユリアーナちゃんたちは、もう一人の『予言の巫女』を捜してくれる？」

　カイナお祖母様の力強い言葉に安心した私たちは、事前にエルフ店主たちから得ている場所情報を思い出す。

　ここで悠長に地図を広げている暇はないから記憶してきたのだ。（主にセバスさんとティアが中心となって）

「かの御方が動いていなければ、中庭の左方面、使用人たちが使う部屋の一つでしたね」

「ユリちゃん、何か気づいたことはありますか？」

　セバスさんの場所の確認と、ティアの私に対する確認の連携がすごい。

「さっき、まりょくのながれが、あちこちにちらばってたよ」

「今もですか？」

「いまは、ひとつのところにながれてる」

　後で魔力が散らばっていた理由は、こんな不安定な中で使い慣れていない魔法を放ったからだと聞いた。

　王様には特大の説教タイムをプレゼントしないとね。

　私たちが王宮に入った時は舟で移動したけれど、こうやって見ると外からの客が通る所には使用人を見せないような造りになっているのに気づく。

　ただ震えている人、部屋を片付けている人が多い中、混乱に乗じて物取りをする人は見受けられない。そういう教育されているの、すごいなぁと思う。

「この国では財産が力になりますからね。他人から財産を盗めば、相応の報いを受けることになります」

「あ、おうさまには、バレちゃうんだった」

セバスさんの言葉に思い出す。

この国の王様は、資産の動きが見えるのだ。つまり、泥棒がいたら犯人をすぐ見つけられるってこと。

ちなみに商売についてのやり取りで損した場合、盗むということにはならない。だから、この国の誰もが貴族っぽくなれるし王様にだってなれるのだ。

まぁ、大体の人は普通に生活できればいいと思っているみたいだけどね。

セバスさんの安定感抜群な抱っこをされながら、つらつら考える。しばらくして室内から外に出たことにより眩しさに目を細めていると、カイナお祖母様の穏やかな声で呼ばれる。

「ユリアーナちゃん、大丈夫?」

「カイナおばあさま、うー、まぶし」

「ふふふ、そろそろ目的の場所に着くから、その前に少しだけいいかしら?」

「あい」

眩しさに慣れない私に、カイナお祖母様は近くまで来てくれた。

そして何度も頭を優しく撫でてくれる。

「会えて良かったわ。私はね、貴女のファンなの」

「……へ？」

何とか目を開けたかったけど、なぜかうまく出来ない。

むーむー唸る私に、カイナお祖母様はクスクスと笑った。

「ねぇ、ひとつだけ約束してくれる？」

「やくそく？」

「この日をずっと私は待っていたの。だからユリアーナちゃんは祝福してくれるって約束してほしい。ね？　いいでしょ？」

カイナお祖母様の穏やかに話す言葉はやさしいはずなのに、どうしても理解できない。

なぜ今そんなことを言うの？

まるで、お別れするみたい。

「……まったくお体に問題はないようですが、これから何かが起きるのですか？」

焦ったようなティアの言葉に、やっぱりカイナお祖母様はクスクスと笑っている。まるで楽しくてしょうがないといったように。

「何かが起きるのではなくて、何かを起こすのよ」

やっと外の眩しさに慣れた私は、綺麗に微笑むカイナお祖母様を見た。

その時、彼女の胸元に大量の『ハイイロ』が吸い込まれていくのを。

私はただ、ぼんやりと見ていることしかできなかった。

33　異世界からの来訪者と幼女

王宮の中にある王族専用の病院は、今や多くの怪我人で溢れかえっていた。

あの襲撃事件では幸いにも死者はなく、怪我の治療も治癒師や薬師、ティアを含む神官たちが応援に駆けつけたため徐々に落ち着きを取り戻している。

私はというと、目の前で倒れた『予言の巫女』であるカイナお祖母様が病院に運び込まれてから、ずっと側に付いていた。

今は穏やかに眠っているけれど、私は知っている。彼女はもう長くはない。

「お嬢様、お休みになりませんと」

「だいじょうぶ」

「侯爵……アロイスも心配してたぞ」

「だいじょうぶ」

お父様はお屋敷に戻って、王様に報告したりビアン国と直接やり取りする予定の調整などの打ち合わせをしているらしい。

だから私は、カイナお祖母様に付いていることにしたのだ。これは私にしかできないこと、だから……。

「セバシュ、オルさま、ひとりでだいじょうぶ」

護衛をしていくれている二人には申し訳ないけれど、私はカイナお祖母様と二人になりたかった。

「かしこまりました」

「おい、師匠！」

「旦那様からは、お嬢様の要望をすべて聞くようにとのご命令を受けています。もちろん護衛にも、ですよ」

「……はぁ、わかったよ。何かあったら呼べよ」

「ふたりとも、ありがと」

もう一人の『予言の巫女』であるミコちゃんは、王様の私室で昏睡状態らしい。実は彼女、空から落ちてきた大量の魔力を全部取り込んでたそうな。

中庭にいたお父様とオルフェウス君は、大量の魔力を取り込むミコちゃんから飛び出てきた大量の『ハイイロ』を見たと言っていた。

私は思う。

どちらの『予言の巫女』も、私たちを助けようとしてくれていたのだと。だからお父様も、私がカイナお祖母様の側にいることを許しているのだろう。

やたら広い病院の一室。

二人きりになったところで、カイナお祖母様はゆっくりと目を開いた。

「ありがとう。ユリアーナちゃん」

お礼を言いたいのはこっちだと言いたくて、でも、視界がぼやけてくるのを必死にまばたきで散らしていく。

だってまだ終わりじゃないから。

必死に耐えている私に、カイナお祖母様は微笑みながら静かに続ける。

「本当はね、あなたを手元に置こうと思っていたのよ。でもアケトが強い人たちを選んだから大丈夫だって言ってたの。正解だったわね」

「てもとに？」

「そうよ。でも、あなたはちゃんと選んでいた。私は予言に逆らおうとしたけど、やっぱり上手くいかなかったわね」

そういえば、王宮で初めてアケト叔父さんと会ったときに、私をビアン国に連れて行くとかいう話があった気がする。

その時に出てきたのが『予言の巫女』で……。

「だからね、最後にユリアーナちゃんには教えようと思っていたの。私と、外の世界の秘密」

「……いせかい？」

「ええ、そうね。私はそこから来たのだから」

「……てんせいしゃ？」

「少し普通とは違うけれど……まぁ、転生者では……あるかしら……」

静かに話していたカイナお祖母様の声は、少しずつ小さく途切れがちになっていく。

え、どうしよう。二人でいられるのは、今だけって感じなんだけど……。

中庭で言っていたカイナお祖母様の言葉が頭をよぎる。

どうしよう。

どうしよう。

「カイナおばあさま……」

「きゅきゅっ（何か来るぞっ）」

「ふぉっ!?　モモンガさんいたの!?」

いつからいたのか、目の前に飛び出てきたモモンガさん。それと同時にカイナお祖母様の枕元に黒髪の少年が降り立つ。

まるで重さを感じさせないような足さばきで、寝ているカイナお祖母様の周りを踊るように歩いている少年。

いや、なんなの？　誰なの？

『やぁ元気そうじゃないか』

「あら、神様お久しぶり。この状態を見て元気だと言えるのは、神様くらいじゃないかしら？」

『魂がキラキラしていたからね。僕が来たことで察していると思うけど、そろそろ時間だから迎えにきたよ』

黒髪を揺らし、赤い目を細めて楽しげにしている少年。

警戒するモモンガさんの毛がブワッと膨れ上がっているのを見て、私も身構えようとしたところ優しく手を握られる。

「カイナおばあさま、なんで？」

「大丈夫よ。害はないから……たぶん」

『たぶんって、ひどいなぁ。僕は異界の神だから、そこの精霊王にも警戒されちゃうだけだよ』

少年の言葉に、ふたたびモモンガさんの毛がブワッと膨らんだ。おお、モッフモフ。

「きゅっ（なぜ我の正体をっ）」

『そりゃあ、僕だって神の端くれだからね』

モモンガさんの毛並みを撫でて整えながら、私は少年神様に目を向ける。

「いかいのかみ？」

『わぁ、僕の声が聞こえるなんて、なかなかすごい幼女だね！　はじめまして、僕は異界から来た『渡りの神』だよ！　気軽にワタル君って呼んで……』

「カイナおばあさまをつれていくの？」

『……うん。そうだよ。それが彼女との約束だからね』

そっか。約束ならしょうがない……なんて言うと思ったかー!!

「つれてっちゃダメ！　もっとおはなしするの！」

『そうは言われてもね。そろそろ向こうが怒り出しちゃうし、うちとしてもケツカッチンで進行してさ』

「むこう？」

『彼女の旦那さんだよ。いい加減に返してくれって、もうストレスで胃が痛いよ。まぁ、僕は受肉してないから痛みはイメージなんだけどさ』

痛くないならいいじゃんって思ったけど、カイナお祖母様の旦那様が待っているのだから引き留めるのはよろしくないと思う。。

そして、私の体は幼女でも心はアラサーだ。人の死については経験済みなのだ。

「ねぇ、神様。少しだけ教えてもいいでしょう？　この子は今世の姉のひ孫なのよ」

『しょうがないなぁ。ちょっとだけだよ』

ぎこちないウィンクをした少年が後ろを向くと、その背中には「働きたくないでござる」って書いてあった。なにその服、ちょっと欲しいな。

「きゅきゅ？（こやつ本当に神なのか？）」

モモンガさんの言葉に同意してしまう。だって『ワタリノカミ』なんて聞いたことないし。

少年に疑惑の目を向けている私に、カイナお祖母様が小さく笑った。

「ユリアーナちゃん。この先、困ったことがあったら『もう一人の私』を頼りなさい。そして仲良くしてあげてね」

「もうひとりのカイナおばあさま？」

「大丈夫。この国にはもう『ハイイロ』は出てこないから。頼りなさいね」

「あい」

言われたことは理解できていない。でも、やはりお別れなのだという実感は自然と涙を溢れさせて、ベッドとモモンガさんにポタポタと落ちている。

もう終わってしまうの？

『君の仕事は完了した。これは預かっておくよ』

「……ええ、ありが……と……」

少年はカイナお祖母様の体に手を当てると、大量の『ハイイロ』を抜いていく。

それをギュッと両手で小さくして、真っ黒な宝玉に変化させた。

「きゅ……（これが、異界の神の力か……）」

そう、モモンガさんも干渉することが難しい『ハイイロ』は、以前私が魔力を使い力業でなんとかしたことがある。

まさかその『ハイイロ』を凝縮させようなんて、この世界の人たちは考えたこともないんだろうな。

34　悲しみの向こうに希望を見つける幼女

そしてカイナお祖母様は、目を閉じたまま動かなくなった。

少し前まではゆっくりと上下していた胸元も今はただそこに在るだけで。

黙って座ったままの私に対して、膝にいるモモンガさんは、ただ丸くなって寄り添ってくれている。

数回ほどセバスさんとオルフェウス君が覗いていたみたいだけど、中の様子を見てそっとしておいてくれたのはありがたい。

私は待っていた。

たぶん、もうすぐ来るはずだから。

「ユリアーナちゃん！　ここに『予言の巫女』がいるって……」

「あ、ミコさま、やっときた」

私の様子に、ミコちゃんは何かに気づいたように駆け寄ってくる。昏睡状態から復活したばかりなのに大丈夫かなと思ったら、後から王様とアケト叔父さんも部屋に入ってきた。

そして二人はすぐに状況を把握してしまう。

二人とも魔力の流れを感じ取ることができるのか、もしくは王族という血の繋がりゆえなのか。

「お祖母様……」

「まさか、そんな……」

呆然とする王族たちを、セバスさんがそっと椅子のある場所へ誘導している。オルフェウス君は他に人が入らないよう見張ってくれていた。

なぜかひどく冷静になっている私は、青ざめたままカイナお祖母様を見ているミコちゃんに、そっと声をかけてみた。

「カイナおばあさまだよ？」

「うん。なかなか会えなかったんだけど、やっと会えたよ」

しばらくミコちゃんはカイナお祖母様の顔を見ていて、それから納得したように何度も頷いている。

「ミコさま？」

「私、さっきまで寝ていたんだけど……この人が夢に出てきたの。それでね、ユリアーナちゃんをお願いって言われたよ」

「……」

「会ったこともない人だけど、王様とかアケトさんから話を聞いててさ。すごく優しい人で、なぜか逆らえなくて……ちょっと私に似てるって言われてて」

「……うん」

「話をしてみたかったなぁって、すごく、後悔してる」

震える声を精一杯明るくさせようと、笑顔で話すミコちゃん。

でも私は知っている。きっと、カイナお祖母様の言ってた『もう一人の私』は、ミコちゃんなんだろうなって。

そして二人の『予言の巫女』の知識の差はきっと……。

声を出さずに泣いているミコちゃんを慰めるように、後ろからそっと抱き締めている王様を見て私は確信する。

うん。

確かに「今世どころか来世まで追いかけて来そうな人」だな、と。

本人の希望で、カイナお祖母様の国葬はしないことになっていたらしい。

そして王族のお墓ではなく、カイナお祖母様のお姉さんと同じく遺体を魔法で砂に変えて砂漠に撒くそうだ。

埋葬の儀には、私たちも参加させてもらえることになっている。

短い間だったけどカイナお祖母様と仲良くさせてもらっていたし、一応私もビアン国の王族だからね。

周りからはすごく心配されている私だけど、なんというか、もっとカイナお祖母様とお話ししたかったような……でも彼女の知識に触れたくないような……とにかく不思議な気持ちなのだ。

カイナお祖母様と二度と会えないのは悲しいけれど、あの時の素敵な笑顔で心はそんなに重くはない。

それはきっと、この世界にはまだカイナお祖母様の『もう一人の私』がいるからなのかもしれないし、彼女の夫が待つという幸せな来世があるからなのかもしれない。

転生云々の話はともかくとして。

今の私は寂しい気持ちは少しあるけれど比較的元気だったりする。それなのに周りにいる過保護・DE・保護者たちは何かと幼女に構ってくるのだ。

ビアン国の王宮内。

あてがわれている部屋でお茶を飲んでいる私は、お父様の膝の上で揚げたパンドーナツのようなものを食べている。なかなかにおいしい。

ほら、食欲もあるし元気なのですよお父様。もぐもぐ。

「ユリア、無理をするな」

「だいじょぶです」

　とはいえ、なんだかすごく久しぶりに感じるお父様のいい匂いと胸板の厚みを、存分に堪能する私でございます。くんかくんか。

　いつも飄々としていたオルフェウス君は最近よく考え事をしているみたいだし、ここのところ毎日のように病院で怪我人を治療しまくっていたティアは少しお疲れのご様子。

　通常運転なのはお父様とセバスさん、そして我らがモフモフ部隊だ。

　さらに追記すると、王宮内も通常運転を取り戻すのが早かった。

　アケト叔父さん曰く「こういう騒ぎは先代までしょっちゅう起こっていた」とのこと。襲撃慣れしているなんて、こわやこわや。

「埋葬の儀までは日にちがある。どこか出かけたいところはないか？」

「んー、どこがいいかわからないです」

「……セバス」

「また市場でお買い物などもよろしいかと思いますが、最近の旦那様に限ってはお嬢様にかまけすぎて執務をおろそかにしてらっしゃるかと……」

「……セバス」

　お父様、ダメですよ。お仕事は大事ですからね。

　私の視線を避けるように、そっぽを向くお父様はため息交じりに言う。

「今夜は屋敷に戻る。それまではユリアと一緒だ」

「ベルとうさま、おしごとがんばって」

「うむ」

よほど戻りたくないのか、ため息を連発させているお父様。頭に吐息がかかってくすぐったいのですが。

「旦那様の気力を高めるためにも、砂漠にあるオアシスに行かれるのはどうでしょう？」

「オアシス？　あそこは商隊の休憩所で、観光するものなどないだろう」

「最近、とある施設が建てられたそうですよ。これは国王陛下ご寵愛（ちょうあい）の『予言の巫女』の発案だとか」

セバスさんの提案に難色を示していたお父様は、発案者のところで興味を持ったみたい。もちろん私もだ。

なにせミコちゃんは異世界転移者だからね！

35　オアシスで接待を受ける幼女

オアシスの情報はセバスさんが持っていたものではあったけど、外出許可をとる時にアケト叔父さんにも勧められたのには驚いたよ。

何者かによる王宮内への襲撃や、不可思議な魔力の流れなど不穏なことが盛り沢山だったから、さすがに国として挽回したいところだったみたい。

「ユリアが招かれたのは、この国の王族としてではなくフェルザー家の姫としてだからな。当然のことだ」

なるほど。接待が足りなかったということですね？

そのような大義名分があるのならば、しかと受けてみせましょうぞ。

ところでオアシスにある施設ってなんですか？

「温浴施設だそうですよ。お嬢様はお好きでしょう？」

「おんよく！」

それは獣人族の方々の住む森の、温泉のようなものでありますか？

でも砂漠の中にあるオアシスだという話だから、温泉というわけではなさそうだ。

「え？　俺らもいいのか？」

「ビアン国の皆様、国王陛下のご厚意に感謝いたします」

お父様はもちろん、オルフェウス君もティアも襲撃事件ではビアン国に貢献しているからね。

そしてあの時に集まっていた遊牧民エルフたちにも褒賞があったんだって。さすが王様！　マハラジャ！　太っ腹！

『ようやく我らの出番、なのだ！』

『忘れられていたかも、なのだ！』

わ、忘れていないよウコンとサコン！　暑い国に来ているから、モフるタイミングが夜しかないだけで忘れているわけじゃないんだよ！

足の部分を器用に砂漠対応に変化させた聖獣たちは、さっきの言葉はなんだったのかというくらいご機嫌に馬車をひいてくれている。

もう、なんなん……。

「きゅきゅっ（気にするな主よ。聖獣とは気まぐれなものだ）」

「どうぶつだもんね……モモンガさんもだけど……」

「きゅーっ！（我を動物扱いするな！）」

ぷりぷり怒っているモモンガさんだけど、木の実を与えるとすぐに大人しくなるあたり本能に忠実な動物みが溢れているのでは。

オアシスまでは王宮から砂漠用の馬車で二時間ほどかかる。

その間、馬車の中で軽く食事をとり、建物が見えなくなって砂ばかりになっていく景色をのんびりと眺めていた。

そしてふと気になることが。

「おにいさま、おげんきかしら……」

「ヨハンは王太子殿下と共に、ビアン国からの留学生の対応に追われているようだ」

「りゅうがくせい、ですか？」

「王位継承権十二位の王子だと聞いている」

そういえばミコちゃんから「攻略本」を見せてもらった時、褐色の肌をした薄紅色の髪の男子がいたような。

乙女ゲームでいうと攻略者なんだろうな。隣国の王子みたいな感じの。

王立学園での正統派イケメンの王太子、クールイケメンのヨハンお兄様、物腰柔らかイケメンの鳥の息子さん、そして新たなるピンク髪イケメンの隣国の王子……。

「もうひとりくらい、ほしいところ……」

「何がだ？」

「ん！　なんでもないです！」

きっと学園の教師のなかにアダルティなイケメンがいるに違いない。白衣の似合うちょいワルな教師とかとか。（願望）

そんなどうでもいいことを考えていたら、あっという間にオアシスの施設に到着。

砂漠の砂と同じ色の建物。

王宮は真っ白だったけど、これはこれで雰囲気出てていい感じだよね。

建物から出てきたのはガタイのいい男性が二人。ムッキムキの上半身は裸で腰巻だけという、なかなか刺激的な衣装を身に纏（まと）っていますね。ドキドキ。

「ご案内いたします」

「馬車はこちらへ」

マッチョたちの案内に従おうと歩きはじめたところ、アロイスになったお父様にすかさず抱っこされた。

目線が高くなったことにより、馬車のところで寂しげにしているモフモフが目に入る。

「あの……ウコンとサコン、がんばったごほうびはないのですか？」

「……おい、そこの者、この建物は動物禁止か？」

「国王陛下から本日は姫君御一行の貸し切りとなっておりますので、皆様ぜひどうぞ」

おや、マッチョマンたちは動物も「皆様」に入っているように言いますね。

これはきっと、よきマッチョなのだと思う。

「どうぞ」

扉を開けてくれるマッチョ二人に見送られながら、薄暗い建物の中へと入る。

私たち（喜ぶモフモフたちを含む）を迎えてくれたのは、室内から噴き出る湿気を含んだ熱風だった。

「なんだよこれ⁉」

「外よりもっと暑いですね」

そう言いながらもティアは汗ひとつかいていない。お父様とセバスさんも涼しげだし、オルフェウス君と私だけ一気に汗だくとなる。ふぉぉ。

これはもしやサウナってやつでは？

「オアシスの近くにも小さな町があるのですが、昔から火の神を祀っているのです。毎日のように住人たちが神に捧げている火を見た『予言の巫女』が、それを有効活用しようと仰いまして……。国王陛下の命により、この施設が建てられたのです」

建物内が薄暗いのは、火の明るさを感じたいという人たちの要望に応えたとのこと。

「こちらの『砂サウナ』では、湯着(ゆぎ)を身につけていただきまして横になられたところに私共が砂をかけるのです」

「人を砂で埋めるのか？」

「はい。もちろんお顔は出した状態ですよ」

ふむふむ。砂に埋まって体を温め、新陳代謝をよくする……とかだろう。

ところで湯着とは、マッチョさんたちが身につけている布のことかな？　そして、ずっと気になっているんだけど、このマッチョさんたちとどこかでお会いしたことあるような気がするんだよね……。

「ふむ。どこかで見たと思ったが、王宮にいた者たちか」

「はい！　さようでございます！」

元気よく返事したマッチョさんが勢いよく腰布を取ると、なんとあの時と同じフンドシが出てきまし……って、あの時のフンドシって言うの、なんか嫌だな。

ティアが思わず両手を顔を隠しているけれど、お気づきだろうか……指の隙間から、しっかりと見ているのである。（乙女心）

「実は国王陛下より王族の方々の乗り物である『輿』は、他国の評判がよろしくないということでして、協議の結果オアシス勤務に異動とあいなったのでございます」

何を協議したのか知りたくないけれど、なぜかお父様が深く頷いているのは気になるところ。

「それは『王命』だったのか？」

「いえ、陛下は『温命』だとおっしゃっておりまして」

なんですか？　その「うまいこと言ってやったぜ☆」みたいな命令は。あまり面白くないので王様はマイナス百ポイントですよ。ちなみにお父様は現在プラス一億ポイント保持者です。（愛ゆえに）

「では、湯着一枚の状態になってもらえますか？　姫君と神官様は奥で女性従業員が対応いたします。男性はこの場で我らがお相手いたしますので」

「ユリアと離れる……だと？」

ダメですよお父様。これ、汗とかで透け透けになっちゃうパターンですからね。

ティアは本当に大変なことになりそうだけど、さすがに幼女の私でも透け透けは恥ずかしいので男女混サウナはＮＧとさせていただきます！

36　遠く東へ思いを馳せる幼女

とはいえ、幼女の身体は暑さに弱かった。

施設の中は暑いためか、際どい衣装の腹筋ムキムキ褐色肌美女たちに優しく砂をかけられて数分、ギブアップした弱々な幼女とは私のことでございます。トホホ。

薄暗い中、安らぎをもたらすハーブ由来の香がたかれて、神に捧げるためのキャンドルの明かりがとても綺麗だったよ。

砂から上がったら、冷水を体にかけて身を引き締めるんだって。私は長く入ってなかったから温水だったけど、ティアは冷水をかけられたから可愛い声が出ていたよ。

「ティアはすごいね。いっぱいあつくてもへいきなの？」

「暑さ寒さに耐えることも巡礼神官としての修行ですから。でも暑くないわけじゃないので、ユリちゃんが早めに終わらせてくれて助かりました」

なんということでしょう……微笑むティアが聖女に見えますよ……。

出された果実水に、モモンガさんが精霊界にストックしている雪を入れてくれた。もちろんティアにも。

「はー、いきかえるー」

「ふふふ、本当に生き返るという感じがしますね。冷たくておいしいです」

びしょ濡れの湯着からタオル地のガウンに着替えた私たちは、ハンモックの椅子に座って揺られている。

なんという贅沢な時間……。

「汗がひきましたら、館内専用のお召し物をどうぞ」

「ティアとおそろいにする！」

「じゃあ、こちらの白いほうで」

ゆったりとした大きめのチュニックに、スカーチョみたいなさらさらのズボンと布製のサンダル。

ところどころに入っている刺繍がかわいいのだ。

頭にはビアン国風の刺繍が入った布を巻いてもらった。すっかり気分はマハラジャだよ。

「お化粧はいかがいたしますか？」

そう言った施設のお姉さんは真っ赤な紅の容器を差し出す。

いや、幼女が化粧って……。

貴族の嗜(たしな)みとしてお屋敷ではスキンケアをされるし、セバスさんからも怠(おこた)らないように都度言われるのだけど、さすがに真っ赤な口紅をつけるのは抵抗がある。

なによりも、ビアン国の人たちって顔が濃いんだよね。目力があるというか、まつ毛もバッシバシにあるからアイライナー要らずというか。

え？　私(ユリアーナ)ですか？

ビアン国の血をひいて整ってはいるけれど、濃いかといったらそうでもないと思うよ。たぶん。

「手持ちのものがあるので、大丈夫です。ありがとうございます」

「さようでございますか」

さらりと対応してくれたティアにさすがだなぁと感心していると、そんな私を見て困ったような表情をされてしまう。

「ユリちゃん。護衛対象が女性の場合、私の仕事はこのようなことも含まれるのですよ。本当は身の回りのお世話をする必要があるのに、ユリちゃんは何でも魔法で自分のことをやってしまうから……」

「おしょが、じぶんのことはじぶんでやれって」

「それは貴族ではない女性のお話です」

「ぶー」

でもね。いつかお屋敷を出ることになったら、自分のことくらい出来るようにならないとダメだと思うのよ。

今は魔法をたくさん使っているけど、自力でも出来るようにならないとダメでしょ。人として。


「ユリア！」

「ベル……アロイシュ、おつかれさまー」

私に駆け寄って素早く抱き上げるお父様（アロイス）に、少し疲れている様子のオルフェウス君が呆れている。

「何年も会えなかった親子じゃあるまいし……」

「一瞬たりとも離れるのは苦痛だ」

「筋金入りだな……」

そう言いながら手に持っている果実水を、オルフェウス君はすごい勢いで飲んでいる。

まさか男子サウナで何か（意味深）あったとか？

「申し訳ございません、お嬢様。不肖の弟子は愚かにも私と張り合いまして、どこまで長く砂に入っていられるか競争させられたのです」

「セバシュ、かったのね」

「ご明察でございます」

負けず嫌いのオルフェウス君ならば、セバスさんと我慢大会をする流れになりそうだ。

薄暗い館内だけど、一部天井が吹き抜けになっていて外の光を取り入れているスペースがある。

そこは男女共用の場所で、寝る用と座る用のハンモックがあちこちに置いてあった。

飲み物が売っているスペースや、軽食も用意してくれるんだって。ミコちゃんの感覚だと、前の世界でのサウナ特化型スパみたいな感じなのかもね。

ところでお父様、砂サウナの感想は？

「私はあまり暑いのは好まない。だが、ユリアが入っているのならば共に体感しようと我慢してみた」

なるほど。つまり私の我慢が数分で終了したので……。

「ユリア、あのように熱い砂の中でよく頑張った」

「はぅぅ……」

たいして我慢していないのにも拘わらず、しっかりと褒めてくれるお父様。やっぱり幼女はお得だな。（遠い目）

館内着を身につけているお父様（アロイス）の体温を感じながら、一緒にハンモックに揺られる私。

おおう、この揺れは心地よいですぞ。汗もかいたし眠ってしまう流れでは。

明かりはキャンドルの火のみだから、適度に暗くてしっかりと客を寝かせにかかっているね。さすが『予言の巫女』がアドバイザーなだけはある。

まだ成長途中の胸板にもたれかかっていたところで、はたと気づく。

遅ればせながら、なぜ服を着替えたお父様はアロイスのままなの？　と。

「旦那様の腕に巻かれている布に、魔法陣が描かれております」

あ、そうなんだ。下着とかに描いてあるのかと思った。

どうでもいいことをぼんやりと考えている私の前を、仕事中の汗だくマッチョたちが歩くのが見える。

王宮の時と同じく（そろそろ見慣れてきた）フンドシ一丁の姿なのは、そっちのほうが彼らは落ち着くのかもしれない。ちなみに今回は赤色だ。

私の視線に気づいたお父様（アロイス）はセバスさんに問いかけている。

「セバス、アレはビアン国のものか？」

「いえ、私の記憶ですと東から取り寄せたものかと」

「……やはりそうか」

お父様（アロイス）の言う「アレ」とは、やはりフンドシのことなのでしょうか。

美しいお顔を見上げていると、なぜかおでこにキスをされてしまったよ。ふぇぇナンデェエ？

「王宮からずっとユリアが気にしているようだったから、お仕置きだ」

「お、おしおき……」

ところでデコチューで飛びかけていたけれど、さっきセバスさんが「東から取り寄せたもの」と言っていたのが気になるところ。

「あの赤色を出せるのは、東の国で多く栽培されているベニバナでしょう。我が国でも化粧品に使われる赤は、東の国からの輸入に頼っておりますので」

おお、なるほど。

そういえば竜族の皆さんも東の国とやり取りあるみたいなこと言っていたなぁ……。

うーん。

うーん。

少しだけ……ほんの少しだけ行ってみたい気がする、かも。

37　ホウレンソウの大切さは何度でも訴えたい幼女

「ユリアーナちゃあああああん!!　どうしよおおおおお!!」

王宮に帰ってきた私たちを待っていたのは、涙目のミコちゃんだった。

門番さんたちに謁見の間を案内されたから何かあったのだろうと予想していたけれど……さすがに王様とアケト叔父さんの涙目は可愛くなかったので割愛させていただく。

抱きつこうとしてくる大人三人を、アロイスなお父様は軽いステップでかわし、オルフェウス君は王様とアケト叔父さんの顔をガシッと掴んでいるよ。

こ、これはまさかのアイアンクロー!?

「顔を掴むのは失礼ですよ。別のところを掴みなさい」

セバスさんの注意により、アイアンクローから首根っこを掴む流れにシフトチェンジしたオルフェウス君。いやいや、それも失礼だと思うよ？

「どうしましたか？　落ち着いてくださいませ、ミコ様」

清らかなる神官ティアの微笑みに、ミコちゃんは深呼吸を何度かして落ち着いたみたい。

軽く咳払いをすると、私たちに向かって再び涙目になる。ぜんぜん落ち着いとらんやんけ。

「亡くなった『予言の巫女』のご遺体が消えてしまったの!!　どうしよう!!」

「おちついて。カイナおばあさま、きえちゃったの？」

「なぜか分からないの……昨日まで、確かに客室で……」

とうとう泣き出してしまったミコちゃんの頭を撫でてあげる。今は抱っこしてもらっているから幼女の私にもできるのだよ。おーよしよし。

「もしよろしければ、私の『祈り』で状況を確認しましょうか？」

「そ、そうであったな！　ティア殿であれば、人の生死を司る神からお告げがあるやもしれぬ！」

ティアの言葉に喜びの声をあげる王様に向けて、私は我が事のように鷹揚に頷く。うむ。苦しゅうないぞってね。

この世界には多くの神々がいる。砂漠のオアシスで祀られていた火の神のようなメジャーどころから、肉の神のようなニッチなものまで様々だ。

生や死を司る神はメジャーではあるけれど、そこいらの神官が祈っただけでは『神託』を受けられないと思う。

ティアは『巡礼神官』の資格を得られるくらい高位の神官だ。彼女だから出来るのだと、この場の誰もが分かっていた。

そして……有能すぎる護衛を雇っているのは！　この私！　なのである！（ばばーん）

すみません。調子に乗りました。

ひとり心の中でドヤった自分にツッコミを入れて悶えている私を、お父様は背中をポンポン叩いてくれる。うう……優しさと愛情が身に染みるぅ……。

ティアが『祈り』の体勢に入ると変化はすぐに起きた。

彼女の周囲が軽く光って、何か大きなものが通り過ぎたように感じたけど、もしやこの存在が神様ってやつなのかしら？

「……申し訳ございません。この件に関しては異界の神が動いたものによるとのことで、どうにも出来ないと告げられてしまいました」

ティアは微笑みを消し、申し訳なさそうに報告してくる。大丈夫だよ。ティアのせいじゃないよ。

「異界の神？」

「この世界の神がなされたことではないと申されるか……」

首を傾げるミコちゃんと難しい顔をする王様を見て、私は先日『ワタリノカミ』とやり取りしたことを思い出す。あの自称異界の神だとか言っていた少年のことだ。

異界から来た黒髪赤目の神様は、確かカイナお祖母様の来世がどうのこうの言っていたけれど……。

「姫君は何か知っているのかな？」

「ん。いかいのかみさま、カイナおばあさまとしりあいだったよ」

アケト叔父さんの問いかけに頷くと、ミコちゃんが食いついてきた。

「ちょっと待って。『予言の巫女』が異界の神と知り合いだったなんて、それもしかして……」

うんうん。その先に言おうとしていることは何となく分かる気がするけど、大声で言うのはやめたほうがいいと思うよ。

訴えるようにミコちゃんを見ると、慌てて口を塞ぐ『予言の巫女』。

そう、ここは王宮内にある謁見の間で、信用信頼できる人間ばかりがいるわけじゃないからね。

ちなみに私たちの場合、お父様やセバスさんがフォローしてくれているよ。魔法や精霊があると本当に便利だね。

私の発言にしばらく考えていたアケト叔父さんは、さらに問いかけてくる。

「姫君は他に何か気づいたことはない？　あ、無理に言う必要はないけど……」

少し涼しくなったように感じたから、お父様（アロイス）が無言の威圧とか出していたのかもしれない。

大丈夫ですよ、お父様。これはミコちゃんにも関わることですから。

「カイナおばあさまと、らいせのやくそくしていたって」

「来世の約束……異界の神と……？」

すると、お父様が小さく息を吐いて口を開く。

「この世界の神ではなく、異界の神が行ったことだと答えは出ている。それ以上に知ってどうする？　もう『予言の巫女』の遺体は無いのだから、埋葬の儀をどうするのか決めたほうが良いのでは？」

「それはそうなのだが……我らは彼女を惜しんでいる。できれば何が起きたのかを知っておきたいのだ」

「陛下は昔から、なぜかあの御方にだけは素直でしたからね」

「うるさいぞアケト」

「へぇー、王様ったら、可愛いところあるじゃーん」

「二人ともやめよ。客人たちの前である」

からかうようなアケト叔父さんに、ミコちゃんが乗っかってニヨニヨと王様のほっぺを突いている。いいの？　それ不敬ってならないの？

二人に弄られて目尻を赤くしている王様は、何度か咳払いをしてそのまま話を続けるようだ。

「埋葬の儀は大々的にやらない予定だった。参加者も我ら三人と客人たちのみだから、特に問題はない。異界の神が関与しているのであれば、我らにはどうすることもできないのは分かっている」

「んー、カイナおばあさま、まっているひとがいるって。だから、かなしくなったらダメっていってました」

「待っている人……なるほど。それが来世という言葉に繋がるのかもしれぬな……」

しばらく目を閉じて考えていた王様は、何かを吹っ切るように力強く頷いた。

横にいるミコちゃんとアケト叔父さんも王様の様子を見て、ほっとしたような表情をしているよ。

もしかしたら、王様が一番ショックを受けていたのかも……まったく異界の神ってやつは、もう少し考えて行動してほしいもんだよ。ふんすふんす。

◇とある異界の神は神の尻拭いをする

きっかけは何だったのか……なんて考えてもしょうがない。

原因なんて些細なものだ。人間に例えるなら「くしゃみしたら手に持っていたお皿をひっくり返してしまった」みたいなものだから。

それでも、神の失敗は神が回収しなければならない。

正しいことだと思う。神の失敗は、各々の世界の住人たちに大きく影響するものだから。

ただ「失敗した神と回収する神が同じである必要はない」……なんて、ひどい決まりさえなければ、だけど。

人間だけじゃない。神にだって負の感情はある。

二〇〇〇年代の地球ではＡＩなどの技術があるけれど、世界の管理をロボットのようなものに任せてしまうと「余白」がなくなってしまう。

例えるなら、木造の建物で木材同士を組み合わせるときにわざと隙間を作るみたいな。

何かあった時に多少の遊びがないと倒壊する未来が待っているなんて世界はいやでしょう？

いつかは壊れる未来だったとしても、その「いつか」は遅いほうが神側としても楽だしね。

まぁ、色々語ってしまったけど、僕のような神にも負の感情はある。そして、それぞれの神が管轄する世界でも負の感情はあるのだ。

喜びなどの感情は不思議と澱むことなく流れて自然と消えていくのに、負の感情だけは世界に残って留まり、澱んでは世界を濁らせていく。

これをどうしたらうまく循環できるようになるのかが、神々にとっての永遠のテーマだ。

まぁ、僕は下っ端の使いっ走りだから、そんな高尚なことを考えるなんてしないけど。


とある世界で、僕はどうしても回収できない負の感情があって、やむなく住人に「お願い」することにした。

これは特定の条件を満たしている魂を使う、僕のような神にはちょっと荷が重い案件ではあったのだけど、上から許可をもらったので決行することにしたのだ。

とある世界の特定の国に撒かれたのは分かっている。

そのせいで百年近く荒れていたみたいで……僕のせいじゃないのに落ち込むんですけど。本当に勘弁してほしい。

いや、頑張れば僕だって回収することくらい出来ると思うよ？

でも、例えるなら絨毯の繊維のなかに細かい粒子が入り込んだのを、一粒ずつピンセットで取っていくみたいな作業なんだよ。

そんなことやってたら他の世界を見ることができないし、そもそも僕の失敗じゃないしさぁ。もう、本当、マジで勘弁してよって感じだよ……。

優秀な「彼女」は、僕ら神々からするとかなり短い期間で負の感情を全て回収してくれた。素晴らしい。

最後はイレギュラーな回収方法になってしまったけど、もう一人の「彼女」も異世界で順応できるように魔力を補填（ほてん）することができたし、きっと結果オーライってやつだよね。

来世に送るために「彼女」を迎えに行った時、不思議な子がいたんだ。

僕の言葉も聞こえていたし、世界についても色々と理解しているみたいで、まるで……。

「あっ！　しまった！」

彼女の魂を運んでいる途中、来世に記憶を引き継ぐという約束だったことを思い出す。

あの世界で魂だけを回収して記憶はそのままにしてしまった。

普段は魂の回収を部下に任せているため、僕自身が動くのは久しぶりすぎて流れを忘れていたのが敗因だ。

うう、こんなことになるなら部下に任せておけば……と思うけど、僕はあの世界の神じゃないから命令できないし……。

「しょうがない。「彼女」の身体を魔素（まそ）に還して回収しよう。あの世界に干渉できる回数は決まっていたし、物体じゃなく魔素なら僕でも世界に干渉できる……はず」

手に持っている彼女の魂を通して、あの世界から針に糸を通すように静かに力を送り「彼女」だったものを魔素に還していく。

「よし！　これで完璧だ！」

上機嫌で回収した魔素を「彼女」の魂に混ぜ込み、来世へと送り出す。

これで終了。はぁ……まったくもって面倒な案件だったなぁ……。

「えーと、生まれる世界は地球の日本で五十年後……か。僕の右腕になって、手伝ってくれてありがとう。楽しい人生を送ってね」

魂を見送った僕は、自分の仕事場へ戻ることにする。

それにしても、神々や住人たちから湧き出す負の感情は、染み込む世界を選ばないよなぁ。喜びとか楽しむ感情は異世界だと弾かれたりするのに。

いつになく高尚なことを考えていた僕は、仕事場に戻ったところで「埋葬していない人間の遺体を勝手に魔素に変えないでほしい」という苦情を受けてしまう。

うわーん！　今期の査定がーー！

また評価が下がっちゃうよーー！

これからのおはなし

それからの私はというと。

数週間ほど王宮とオアシスの施設、たまにお屋敷に戻ったりという三角スタイルで往復するという生活を送っている。

お父様は溜まっていた国の仕事を片付けたり私を構ったりするため、セバスさんと一緒に忙しなく動き回っていた。

ティアはオアシスに祀られている火の神について勉強したり、砂漠にある神殿の遺跡を巡礼していた。

オルフェウス君は護衛の仕事をしながら王宮内で訓練していたところ、王宮内の兵士たちから指導を依頼されて教官の仕事をすることに。

ついでに強化訓練だと砂漠にあるダンジョンに入ったりして楽しそうだった。ずるい。

モモンガさんと聖獣ウコンサコンのモフモフ隊は、王宮に出入りしている遊牧民エルフ店主と交流していた。

世界樹の件もあったし、モモンガさんがエルフの秘術に興味があったみたいで、精霊のことを含めて色々と教えてもらっているみたい。

本人（？）は情報共有だと言っていたけど、美青年が手にのっている毛玉に話しかけているという図だと、どうしてもねぇ……。

ところでモモンガさんは精霊の王様だったと思うのだけど、精霊について情報共有とはなんぞ？

……まぁいいか。

「さすが『巡礼神官』だ。神々の言葉を伝えてくれて感謝する」

「光栄です。陛下」

謁見の間では、王様の低く落ち着いた声が響いている。

あの襲撃の後から、先代派と呼ばれる人たちが静かになったらしい。一部では「憑きものが落ちた」という話も聞くから、もしかしたらカイナお祖母様が『ハイイロ』を回収したおかげなのかもしれない。

これでビアン国が安泰に……なるといいなぁ。

「遺体にある記憶が、あの御方の来世の魂に必要となるのであれば……神々の御心に感謝せねばなるまい」

「そうですね」

ティアの顔がちょっと引き攣っている。

話を聞いたところ、どうやら異界の神が「うっかり」やらかしたという神託があって、なぜか真相を「王様にだけは伝えないでほしい」と謝られたんだって。

神様たちの世界も大変なのかもね。

「さて姫君よ。今回呼び出したのは礼を言いたかったこともあるが、こちらから提案をさせてもらおうと思ったのだ」

「ていあん？」

後ろにいるアロイスなお父様から冷気を感じるけれど、王様は動じた様子もなく鷹揚に頷いてみせた。

「王宮に出入りしている遊牧民のエルフ族から話を聞いている。姫君が東の国に興味があると」

「ひがしの……」

マッチョたちのフンドシ姿が一瞬脳裏をよぎったけど、慌てて消しておく。

フンドシじゃなくて、東の国の話だよね。

はい！　興味がありますよ！

「あの国は閉鎖的であるからな。我が国に多大な貢献をしてくれた姫君に、入国するための書状を与えようと思うのだが……冒険者のユーリに」

「ふぉっ!?」

王様からユーリの名前が出たことにも驚いたけど……入国するための書状云々という提案には首をグネグネ傾げてしまう。

今の私はビアン国に遊学で来ていて、最低一年は滞在することになっていたのでは？

「姫君が我が国に滞在する必要はあるが、冒険者ユーリがどこに行くのも自由であろう？　我が冒険者の手助けをするのは、おかしいことではないはずだ」

「おうさま……」

王族の血をひいてはいるけれど、私はこの国に骨を埋めようとか思っていない。

そんな自分勝手な幼女に対して、王様もアケト叔父さんも甘やかしすぎだと思うのだけど。甘々すぎるので塩プリーズ。

「身内なのに何もしてあげられなかったからね。せめてこれくらいはさせてもらえると嬉しいな」

「うぐっ、えぐっ……ありがと、アケトおいたん……」

もうダメだ。幼女の涙腺はゆるゆるなのだ。

ひたすら泣く私を慰めようと、身を乗り出す王様とアケト叔父さん。

それを牽制しているお父様の隙をついて、なんとミコちゃんが抱きついてきた。ふぉぉ、女の子の柔らかさ！

「ありがとうね、ユリアーナちゃん。もう、ほんと、この世界で大好きな本田由梨先生のキャラにいっぱい会えて嬉しいよー……って、知らないよね！　テンション上がって変なこと言っちゃった！　ごめんね！」

「え、いや、うん、えへへ？」

最後にっ!!!!

すごいのっ!!!!

ぶっ込んでくるやーーーーんっ!!!!

いやいや攻略本を持っているところで、この世界のことを知っているって察してはおりましたがっ!?

まさか原作者の名前を出すとか、大好きなって付けちゃうとか、もうっ!! もうっ!! ずるいよーーーー!!

心の中でジタバタしていると、いつのまにミコちゃんから取り返したのかお父様抱っこに変わっていた。

「……ユリア、私の愛だけでは不足か?」

ここにきてお父様の可愛い嫉妬キタコレ……!!（血反吐）

というわけで。

ユリアーナはビアン国の王宮で滞在する中で、冒険者の護衛が不要であることを自国に報告した。

この一件で、貴族令嬢のお付きが少人数で事足りるほど、ビアン国の治安は良いのだと判断され、さらに両国の繋がりが強くなっていくこととなる。

外交の懸け橋となったユリアーナ・フェルザー侯爵令嬢は、ますます将来を期待される才女としても注目されていくのだった。

「やっぱりベル父様は、元のお姿がよいです!」

「……そうか」

馬車の中でご機嫌な私は、セバスさんの淹れてくれたお茶を飲んでいる。

お父様が少し不満気な理由は、私がひとりで座っているから……みたいです。

冒険者としての私は成人している設定だから、お膝抱っこのみならず、抱っこ移動も禁止にする必要があるのです。

なにせ、成人女性ですからね！

「だから無理があるって」

「ユリ……ユーリちゃん、子どもの冒険者もいますから無理しなくても……」

パーティーのリーダーであるオルフェウス君と、同じメンバーのティアまで私を子ども扱いするなんて……ぐぬぬ。

悔しさを少し冷めたお茶を飲むことで流そうとしていると、お父様からさらりと爆弾（ほうこく）を投げ込まれた。

「そういえばユリア、あの襲撃の時にあった魔力の流れはペンドラゴンに分析を頼んでいるが、未だ判明するに至っていない」

「ふぇっ⁉」

「幸いにも王宮に向かった魔力は暴発することもなく『予言の巫女』がその身に取り込むことになったが……また起こらないとは断言できないだろう」

「そ、そうですね……」

どどどどどうしよう！

あの襲撃の時に訳知り顔で「おかしな魔力の流れが……」とか言っておきながら、結局何だったのかを調べることを忘れていたとか言えない。言えるはずがない。

オアシスでフンドシマッチョメンズを観賞している暇があったら、もっとやることがあっただろう私!!!!

本当に、何をやっていたんだ私ぃ!!!!

恥ずかしさと後悔が嵐となり、交互に心の中を渦巻いていく。

どん底まで落ち込んだ私は癒しを求め、急ぎお父様の厚い胸板に飛び込むことで心の安定を取り戻すのであった。

つづく!!!!（号泣）

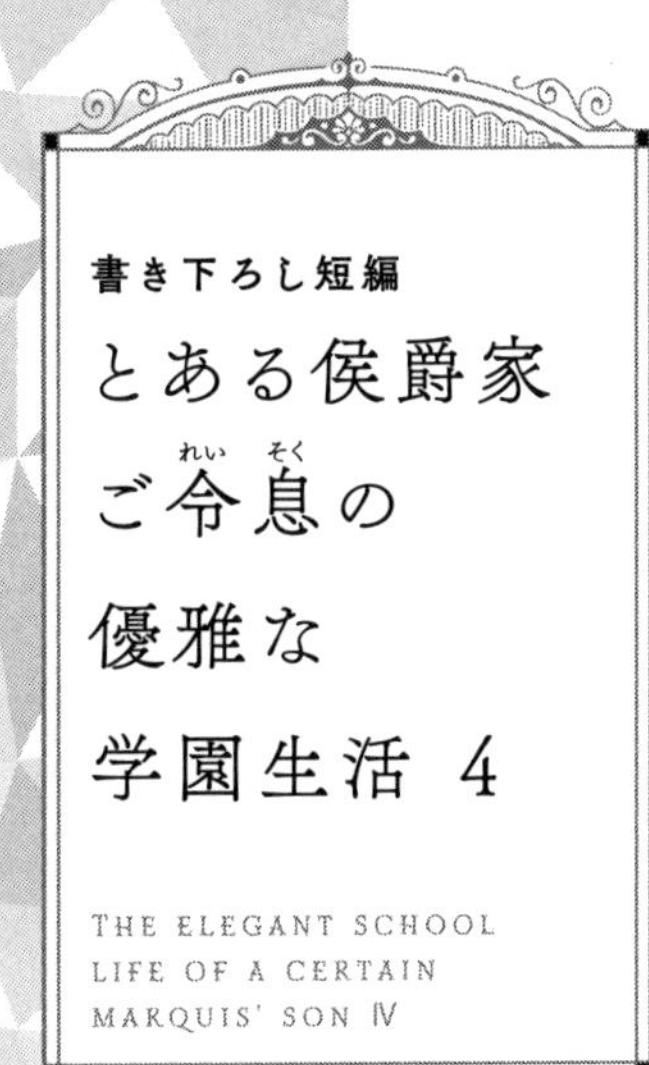

書き下ろし短編

とある侯爵家ご令息の優雅な学園生活 4

THE ELEGANT SCHOOL LIFE OF A CERTAIN MARQUIS' SON Ⅳ

私の名は、ヨハン・フェルザー。

フェルザー侯爵家の嫡男であり、現在は王立学園に通う学生だ。

妹（天使）のユリアーナを「唯一」とする父上は屋敷を不在にすることが多い。ゆえに最近は侯爵家当主代行として多くの仕事をこなしており、充実した日々を送っている。

幸いにも現在は辺境の地を治めている父上の両親……お祖父様とお祖母様が本邸に滞在なさっている。ありがたいことに、各領地経営の取りまとめや王宮とのやり取りを手伝ってくださっている。

感謝すべきことなのに、自分自身が不甲斐ないと落ち込む今日この頃なのだが……。

本邸の執務室で書類を前にため息を吐いていると、いくつかの書類を抱えた鳥の彼が小さく息を吐いた。

「ヨハン様は同じ年代の貴族の御子息の中でも、飛び抜けるどころか突き抜けて優秀だと思いますよ」

「世辞はいい」

「本当のことですが何か？　ヨハン様にお世辞を言っても何の得にもなりませんよ」

宮廷魔法使いペンドラゴンの息子である彼のことを私は「鳥」と呼んでいる。長年の友人であり、気の置けない幼馴染という関係でもある。

父親同士も友人関係ということもあるが、鳥の彼曰く「考えた末に」私と友人になってくれたらしい。

ちなみに鳥の彼にとって、ユリアーナは「恩人」であり「崇拝する姫」だと豪語している。彼がユリアーナのことを語る時の目が少し怖いと思っているのは秘密だ。

「現在、学園の総会のことは王太子殿下が仕切ってらっしゃり、フェルザー家の領地経営についてはヨハン様の祖父母様が見てくださってますよね」

「ああ、そうだ。私が不甲斐ないばかりに……」

「それはもういいです。今は領地よりも学園に手をかける必要がありますから、ちょうど良かったと思いますよ」

「学園は王太子殿下がいるだろう?」

「先ほど入ってきた学園生徒に向けての通達です。ご覧ください」

鳥の彼はすでに確認済みなのだろう。差し出された書類を受け取ると、自然と己の眉間にシワが寄っていくのが分かる。

「交換学生？　面倒なことこの上ない」

「まったくあの国は、姫君を奪っておきながら何様のつもりなのでしょう」

私と彼の認識は同じく、ビアン国についてあまり良い印象を持っていない。

しかし天使で清らかで純真無垢(むく)な我が妹ユリアーナが、自ら進んで遊学を決めた国だ。フェルザー家の次期当主として、己の好き嫌いで行動を決めるなどという愚かしいことはしない。たぶん。

ところで通達にある交換学生とは、ビアン国の王位継承権がある男子だと記載されている。もちろん鳥の彼ならば追加情報を持っているだろうと視線を送れば、やれやれと肩をすくめてみせた。

「さすがにヨハン様であっても、対価なく情報を与えるのは……」

「ユリアーナの街歩き護衛権」

「今回の留学生は王位継承権十二位、御歳十五になる男子です。今代の王族の血は薄いのですが、高い魔力を持っているため継承権上位であるとのことです」

別に鳥の彼をユリアーナの護衛に付けることに関して、こちらとしては大歓迎なのだが……彼にとっては情報を「取引」することが大事らしい。

理解できない世界だが、友人が大事にしている価値観は尊重すべきだと思っている。これくらいのやり取りなら、いつでも付き合うつもりだ。

「その者の性格は？」

「先代の影響を色濃く残してらっしゃるそうです」

「……本当に面倒な案件じゃないか」

他国の王族が留学に来ることは、我が国でよくある事だ。

剣や魔法だけではなく、ありとあらゆる職業の技能を学べる我が国の学園は、周辺国を含めた中でも最大級の機関である。

さらに言えば、試験さえ通れば身分関係なく通うことができる。そして成績上位五十名は卒業後に学費を返す必要がないという、奨学金制度もあるのが最大の特徴だろう。

ちなみに私は成績上位者ではあるが貴族であるため奨学金制度を辞退している。辞退者が出れば繰り上げで奨学金を受ける生徒がいるため、多くの貴族は奨学金を辞退するのが普通だ。

つらつらと学園について考えていると、鳥の彼が呆れ顔でため息を吐いた。

「ヨハン様、現実逃避をしている場合ではないですよ。どのような対策をしますか?」

「……出来る限り、高位の貴族が側にいるしかないだろうな」

「やはりそうなりますよね」

鳥の彼は父親が宮廷魔法使いだから、爵位はなくとも高位貴族の子どもと同等の認識をされる。

本人も優秀だからなおさらだ。

あとは王太子殿下と、他には……。

「こうなってくると、日々の学業や執務に忙しくしているのはいいが、貴族の繋がりが数えるほどしか無いというのは問題だ」

「ヨハン様、友達少ないですからね」

「鳥の、最近私に対して容赦なくなってきたな」

「そんなことはないですよ。姫君の街歩き護衛権を獲得するために、私の友人たちも巻き込みますから」

「鳥の、私どころか他の者たちにまで容赦ないのだな」


ビアン国からの留学生が登校する日。

異国の王子(のようなもの)が来るとあって、朝早くから多くの生徒が門の近くで待っていた。

それらを通行の邪魔にならないよう動いてくれているのは、鳥の友人たちだった。ありがたい。

私は私で、王太子殿下から名指しで出迎えるよう命令を受けている。

事情は分かるが、なるべくなら避けたい流れではあった。

「あの、わたくしまでよろしいのですか？」

「もちろんだよ！　君はこの国の王太子の婚約者なのだから！」

「こ、候補！　候補と付けてくださいまし！」

頬を赤くしたイザベラ嬢が王太子殿下に注意しているが、王太子殿下の婚約者候補は彼女しかいないのだから付けても付けなくてもいいだろうと思う。

その時、私たちの目に飛び込んできたのは、目に突き刺さるような眩しい光だった。

ガラガラと馬車の音が聞こえてはくるが、眩しくて目が開けられない。なぜなら馬車のありとあらゆる場所に金細工が飾られ、朝日を浴びたそれらが乱反射しているのだ。

「やぁ！　出迎えご苦労！　苦しゅうないぞ！」

あまりの眩しさに王太子殿下はイザベラ嬢を背に庇い、私は一歩前へ出て感覚で丁寧に一礼をする。（セバスに気配を読む方法を習っておいてよかった……）

「はじめまして。この学園では身分関係なく学ぶ場所ではありますが、家名を名乗ることをお許しください。ヨハン・フェルザーと申します」

「うむ！　そなたの話は我が国王陛下から聞いておる！　世話になるぞ！」

「光栄でございます」

先代の影響を受けていると聞いていたわりには、かなり友好的な態度にホッとする。

さすがに彼の国も、交換学生を使って喧嘩をふっかけるつもりは無いらしい。

しかしこの後の彼の言動によって、私自身の予想は楽観的すぎたのだと思い知らされることになる。

「では学園とやらに向かうとしよう『輿』を用意せよ！」

「……『コシ』ですか？」

「我が国の王族は、皆『輿』を利用するぞ？」

「申し訳ございません。十二位様にとってここは異国でございます。望むような『コシ』はご用意できかねます」

「なるほど！　確かにあの肉体を持つ男子はおらぬようだ！　では歩いて参ろうか！」

「ありがとうございます」

あの肉体とは何だろう？　ビアン国の風習は前日までに頭に叩き込んでいるが『コシ』とやらの話は知らない。

せっかくだから教えてもらおうと、軽く質問をしてみる。

「後学のために、その『コシ』というものを教えてもらえますか？」

「もちろんだ！　そのための留学であるからな！」

やっと光に慣れてきた私の目に、褐色肌に薄紅色の髪をした男子が上機嫌で話している様子が窺える。

よかった。ここまでは心配ないようだ。

「我がビアン国の王族が移動する時は『輿』に乗ることと決められている！　美しい肉体を持つ男子が、下着のみ身に纏って王族を輿で運ぶのだ！」

……はぁ？　何言ってんだこの王族は？　裸で下着のみを身につけた男子に、自分自身を運ばせる？

ふと後ろに控えてくれている鳥の彼を見れば、無言で首を横に振られた。

何ということだ。鳥の彼にも裏が取れなかった情報……だと？

日々の暮らしではオープンな部分が多いように感じたが、王族の決まりや王宮内のことともなると、そうはいかないのかもしれない。

それよりも……。

「今もその『コシ』というのはビアン国内で行われているのですか？」

「無論である！」

真っ先に思い浮かんだのはユリアーナだ。まさかあの子も『コシ』に乗った……のか？

ぐるぐると考えていると、隣にいたはずの褐色肌男子が急に消えた。

すぐさま気配を辿れば、遠く離れた木の陰に隠れている。今度は何がどうした。

「そ、そそそそその女性、じょ、女性いいいいいい!!」

私は首を傾げる。学園内に女子生徒はたくさんいるが、彼が指差す方向をみると王太子殿下とイザベラ嬢が目をしぱしぱさせながら付いてきていた。

「やっと追いつきました。私はこの国の王太子で……」

「貴様あああああ!!　女性になんという格好をさせるのだああああ!!」

せっかく名乗ろうとした王太子殿下の挨拶を遮ると、一瞬でイザベラ嬢に近づき、自分が羽織っていた布で彼女をグルグル巻きにした。

「な、なんですのっ⁉」

「いけません！　高貴な女性が肌を見せては！」

先ほどの『輿』で登場した下着だけで担がせる人がいるなどと言ったのは嘘のように、今は肌を見せるなと叫んでいる留学生。

一体、何が起こっているのだろう……。

「おい、イザベラ嬢から手を、というか布を剥がせ！」

「高貴な女性の柔肌を見てしまった！　これはもう責任をとって妃にするしかない！　ああ、麗しき貴女を我が国に連れて帰りましょうぞ！」

「何を言っている！　イザベラ嬢は私の婚約者だ！」

「むぐっ！　むぐぐーっ！（婚約者ではなくっ！　婚約者候補ですわーっ！）」

ふむ。

この状況は、正しく混沌というものだな。

「ヨハン様、どうにかなさらないのですか？」

「どうにもならんだろう」

面倒だったので、この場を凍らせることにした。

物理的に動きも止まり、物理的に頭（どころか身体全体）が冷えたようで何よりだ。

留学生の謎すぎる「ビアン国の習慣」について、先代の影響が色濃くあると言われた理由が判明した。

基本的に心根が真っ直ぐな彼は、悪しき風習であっても「正しいこと」だと認識しているため、周りにそれほど不快感を与えないのが幸いだった。

毎度大騒ぎになるものの、巻き込まれるのは主に王太子殿下とイザベラ嬢だったため、私は気楽に氷の魔法を使って事をおさめるのが日常となったのだ。

こうして一ヶ月が過ぎたある日、ビアン国の方向の空がおかしな動きをしていることに気づく。

何かおかしいと感じるが、原因が分からない。

「鳥の、あれが何か分かるか？」

「たぶん魔力の流れだと思いますが……父が調べてみると言っていたので、原因が判明したら報告します」

「悪いな。ペンドラゴン殿もお忙しいだろうに」

「いえいえ、最近の父は『今回、俺は嬢ちゃんに忘れられている気がする……』などと落ち込んでいたので、働いていたほうが心穏やかになると思いますよ」

「ふむ。よく分からんな」

「はい。父のことは母くらいしか理解できないと思いますよ」

不思議な空の動きは数日で収まった。

その間、ペンドラゴン殿が調べたことについては、父上にも報告しようと思っている。

「おいヨハン！　いい加減、留学生をどうにかしろ！」

「王太子殿下、ここはフェルザー家の執務室ですよ。学園の総会室のように許可なく入らないでください」

「あの野郎、またイザベラ嬢を口説きやがって！」

「殿下、口調が乱れてますよ。それに、口説かれるのが嫌ならば、ご自分も口説けばよろしいかと」

「ヨハンだって、もし自分の婚約者がいたとして、同じ事をされたら嫌だろう⁉」

「何を仰っているのやら。私に婚約者がいたら、他の男に口説かせるような隙など与えませんよ。永遠にね」

その瞬間、凍りついたように動きが止まる王太子殿下に、私は何かおかしなことでも言ったかと鳥の彼を見る。

「正しいですね」

「だろう？」

「……怖い。この二人、怖い」

王太子殿下は、まだまだ心の修行が必要なのかもしれない。

父上に良い師がいないか探してもらおうと、私は心に決めるのだった。

あとがき

とうとう四巻となりました。

今回も『氷の侯爵様に甘やかされたいっ！』をお手に取っていただき、ありがとうございます。

そして本編の最後を読んでいただいた皆様、次巻もよろしくお願いいたします。


さて、あとがきに何を書けばいいのかと悩むところですが……。

小説のお仕事についての近況といえば、書き下ろしのお仕事が増えました。

本作も三巻からＷｅｂとは違う展開で話を進めており、四巻もすべて書き下ろしとなっております。

やれば出来る子だと思われたのかもしれません。そして褒められたら伸びる子でもありますので、褒めていただいても良いのですよ……。

毎日こつこつと執筆しております。

これからも応援していただけたら嬉しいです。

さらに楽しく面白い作品をご提供できるよう努力しますので、これからもよろしくお願いいたします。

ところで、皆様は『氷の侯爵様に甘やかされたいっ！』のコミカライズを読んでいただけましたか？

小説の挿絵には描かれていないキャラも香守衿花様が漫画で描いてくださっています。そしてユリアーナが可愛すぎて、溺愛するお父様の気持ちになってしまう……。

改めて、漫画のパワーってすごいなぁと思います。皆様もぜひ。


今回も素敵なイラストを描いていただいた双葉はづき様。

細やかな気遣いをしてくださる編集A様。

TOブックス様ならびに出版に携わってくださっている関係者の方々。

いつも応援してくれる仲良し作家さんたち、そして両親と弟にも。

本当にありがとうございます。

これからもよろしくお願いいたします。

三月吉日　もちだもちこ

おまけ漫画

コミカライズ第2話

試し読み

漫画：香守衿花

原作：もちだもちこ

キャラクター原案：双葉はづき

第2話
お父様の安定感のありすぎる膝抱っこと
実は鍛えているであろう胸板の厚みに
すやぁ…
筋肉は正義…
ひとたまりもなく睡魔に襲われ——
チチチ…
お目覚めですか
お嬢様
気が付いたら朝だった

おはよう
マーサ
いっぱい
ねちゃったの
ふあ…
フフ
無理も
ございません
ええーっと…
ここは
どこ？
キラ
キラ
お嬢様は
お怪我をされて
おりましたから
膝抱っこに
メロメロに
なってたから
とか言えない
あっぶね
お嬢様の
お部屋ですよ

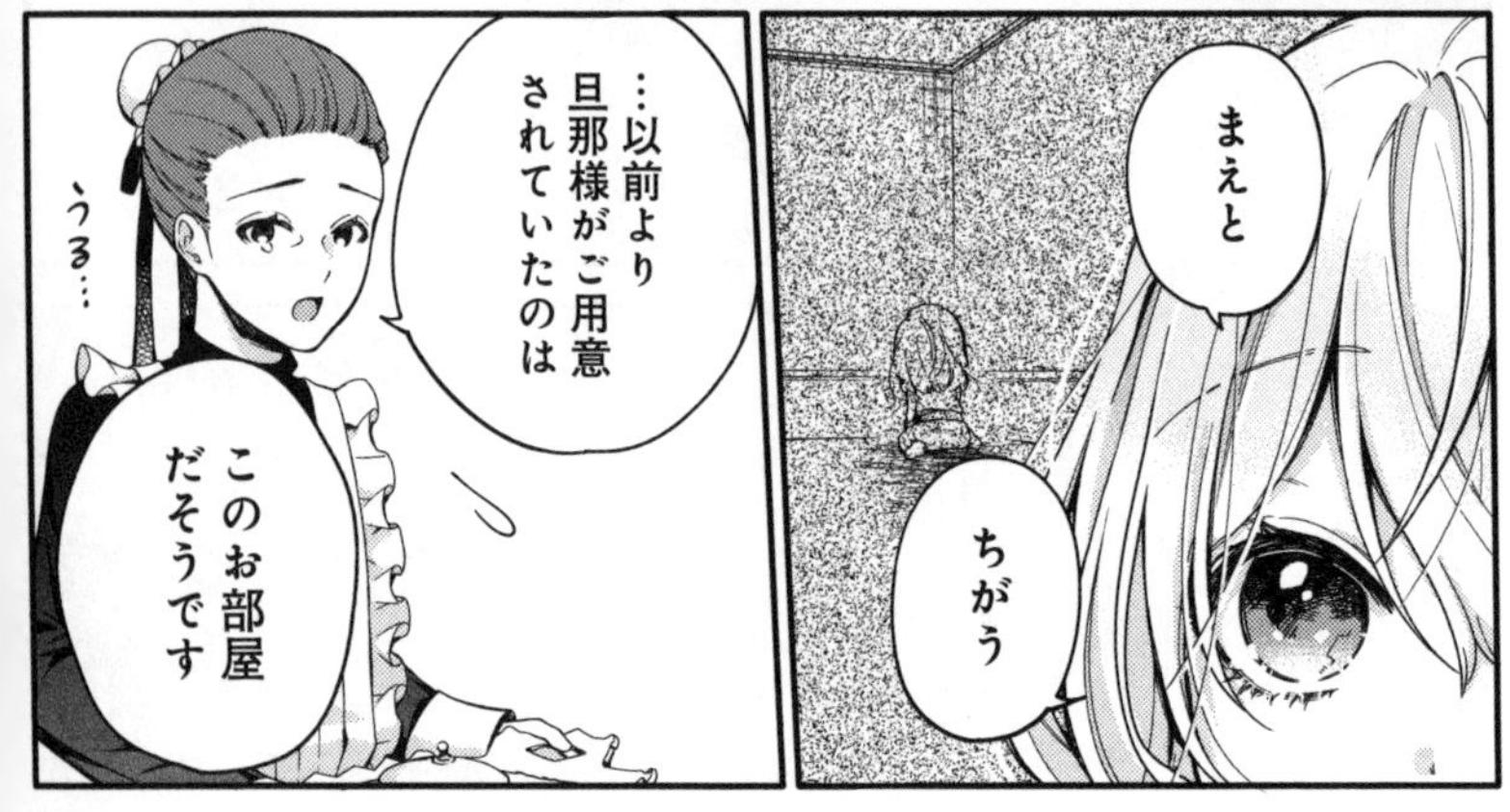
まえと
ちがう
…以前より
旦那様がご用意
されていたのは
このお部屋
だそうです
うる…

つまり
あの冷遇は
お母様の独断で
お父様は
本邸に部屋を
作ってくれて
いたんだ
ふむ
血のつながりがないのに
大丈夫なのかな？
お父様
気付いてた
よね？
まぁ、いいけど

それよりも
侯爵邸なら
魔法に関する本が
あるだろうから
師匠に学ぶ前に
予習するのも
アリだよね
ほん
よみたい
本ですか？
ダメですよ
まずは
お怪我を
治さないと
ちぇ
さ
パン粥が
あります
ほわ
召しあがり
ますか？

あまくて
おいしい
流動食
だけど…
それはよう
ございました

食べ物を
もらえなかった
ユリアーナが
今食べるものと
いえばそりゃ
こうなるか
パン粥食べるの
初めてだから
ついこんなの
期待しちゃった
とろ〜〜り
チーズの
おいしいやつ

お医者様からは
少しずつ食事を
とるように
言われております
また後ほどに
しましょう

さて
お薬を
飲みましょうか
うゞ
おくすり…
うげぇ

お城でも
飲んだけど
この世界の薬って
めちゃめちゃ
苦いんだよなぁ！
痛み止め
飲まないと
体中痛いんだけどね
ちゃんと
飲めましたら
ご褒美を
いただけるように
しますよ
ごほうび？

なんだろう？
お父様…は
無理だろうけど
甘いものとか
もらえるのかな？
さらら…

ご褒美 求む！

それから
数日が経ち
少しずつご飯が
食べられるように
なってきた頃
今日から
お嬢様の
お世話をする
娘の
エマです

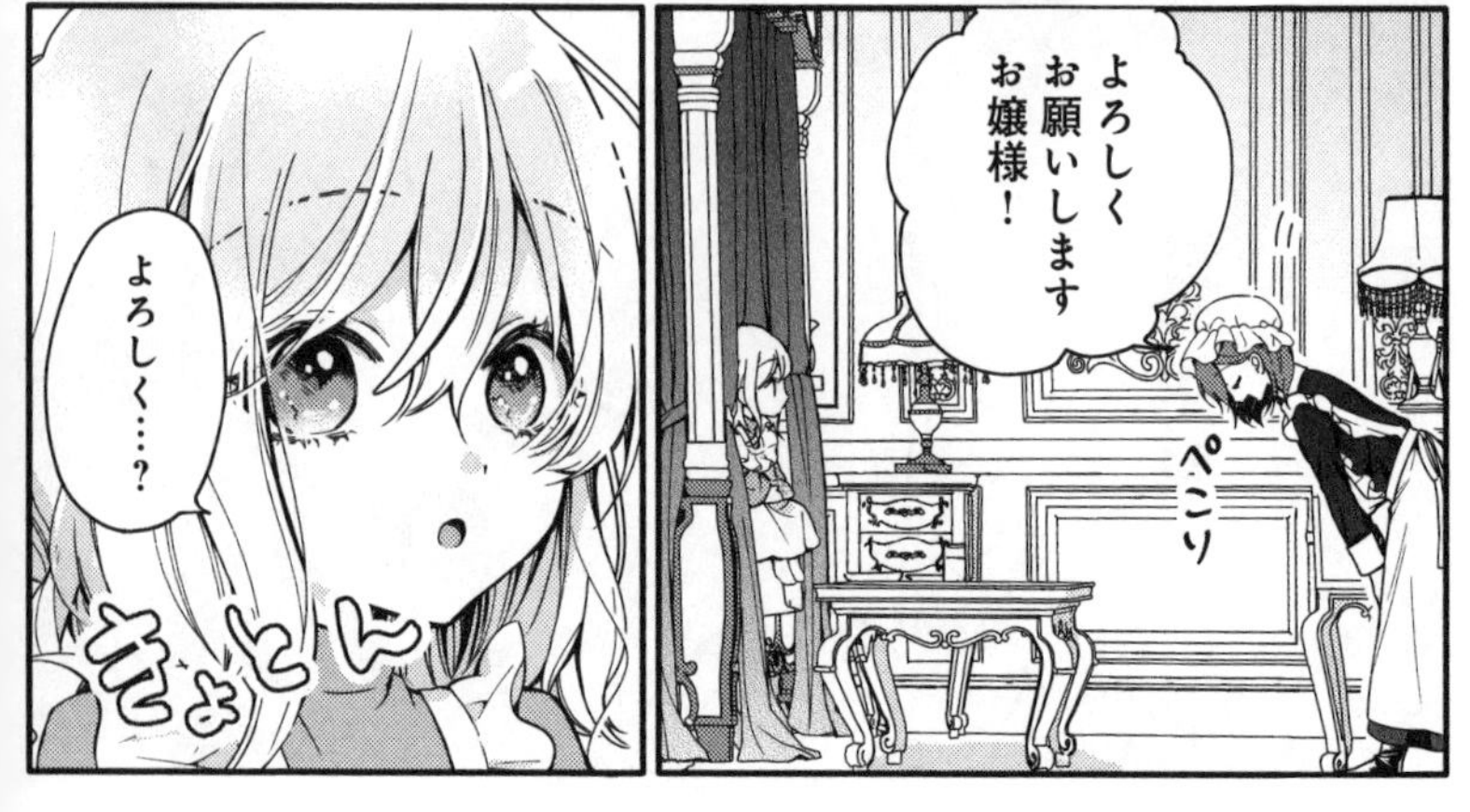
よろしく
お願いします
お嬢様！
ぺこり
よろしく…？
きょとん

マーサ
どこか
いっちゃうの？
いいえ
年の近い娘を
お側に置く
ようにと
旦那様からの
ご命令なのです
？
侍女の他に
護衛として
侍従も加える
とのことです
もっ
もっ
私は彼らの
まとめ役を
いたします
おか…っ
んんっ
侍女長
お嬢様に
難しいことは
まだわからない
のでは？
エマ
覚えて
おきなさい
ゴツンッ
お嬢様は
高い魔力を
お持ちです
キリッ
すなわち
知力の高さを
意味しています
えいやー

大人の会話はほぼ理解されていると思いますよ
おお！お嬢様はすごい方なのですね！
いやそれは中身がアラサーだから…
知力とは違うと思うよ
でもこの世界では魔力の高さ＝知力というのがひとつの目安で

魔力暴走は潜在能力がよほどないと起こらないので
のちに師匠になる予定のこの人も
王都の学園を異例の早さで卒業している
傍目からはそう見える…のか

ごちそうさまでした
ん？
じじゅう？マーサとエマだけじゃないの？
はい
旦那様がお嬢様をいたくご心配されておりまして

屋敷の警備も
増員するとの
ことです
あー…
まあ
魔力暴走する
幼女とか危険
だもんね…
さぁ
お薬の
時間ですよ
うう
おくすり
ギクッ

子ども舌だから
本当につらい
んだよぉ
うげー
がんばって
ください
お嬢様！
ギギッ
ユリアーナ
食事は
終わったか？
はい！
お父様!?

まだ薬を飲んでいるのか？
体重が増えるまで栄養剤を飲むよう
お医者様から言われております
そうか
じ…
うーん
この視線

はら
はら
誰かを射殺（いころ）すような威圧感だけど
私のことを心配してくれているのだろう
わざわざ部屋まで来てくれてるということは
う〜む
嫌われてはいないはず
もしかして薬が飲めるか見守ってくれているとか？
…よし

えいや!!
ザババババッ
うぐ
ぐおおおお
にがっ
……
ユリアーナ
口を
開けなさい
ほら
あーん
あーん!?

幼女だもんね
あるある～…
じゃなくて！
まさかの
お父様が⁉
なんで⁉
あんぐり
んぐ
ズボッ

…………………
もぐ
もぐ

ふわん

王都で話題に
なっている
菓子だ
『マカロン』と
いうらしい

まかりょん…
キラ
キラ
ぐっ
ズキュ

げほっ
そうだ セバスが ユリアーナに と言うので
急ぎ 取り寄せた のだよ

薬をちゃんと 飲んでいる 褒美だ
食べなさい
白状すると

そのほうが捗るから
敵に配役したけれど
ランベルトは
私の理想の男性だ
外見も
クールなところも!!
むに
むに
いいの?
イケメンに
こんなん
されちゃって
いいの?

ぽん

このような
行為も
褒美になると
セバスが
教えてくれた
!!?
マジすか
神様セバス様
ドッ
ドッ
ありがと
ござい
ましゅ…
ドッ
うむ
なで
なで
忙しい
お父様だけれど
あれから
夜のご褒美(言い方)の
時間をとってくれる
ようになった

薬の回数は
減ったけど
お菓子の時間は
そのまま続いてる
から嬉しい

しつじしゃ
ほんが
よみたいです

そうですね
大人しく
よい子のお嬢様
でしたから
そろそろ
書庫へご案内
しましょう

ありがとう
ございましゅ！
ぱあっ

次巻予告
砂漠の国から
“東の国”へ
異国情緒溢れる船旅、出港!!
だけど航路に不穏な影が……!?
2023年発売予定!

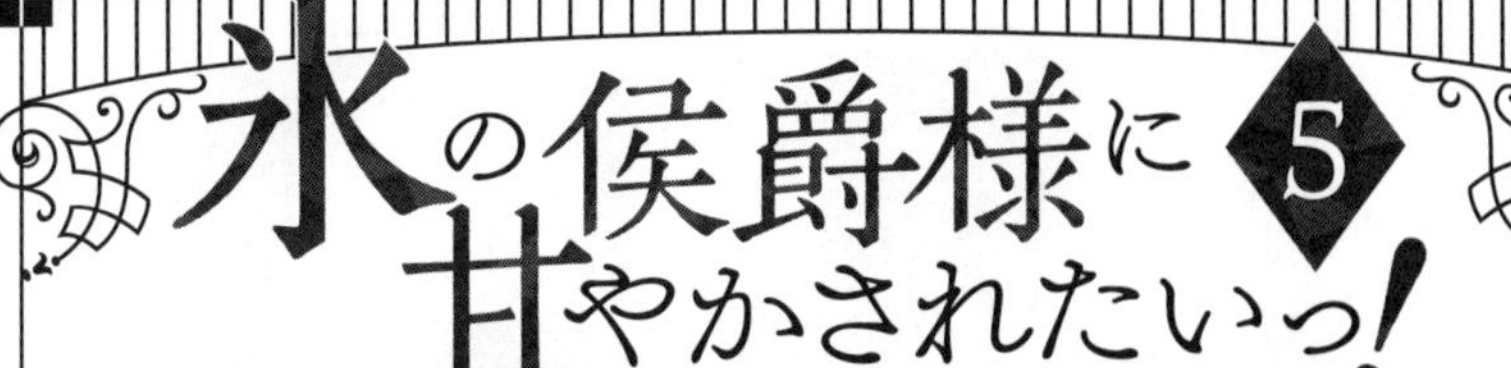
氷の侯爵様に甘やかされたいっ！ 5
シリアス展開しかない幼女に転生してしまった私の奮闘記
もちだもちこ
MOCHIDAMOCHIKO
illustration 双葉はづき
FUTABA HAZUKI

筋肉増量でお届けします！

ありふれた不幸ですよ、お嬢さま
ひいひい孫
祖母
祖母
と未来を変えていく！

ティアムーン帝国物語XIII
断頭台から始まる、姫の転生逆転ストーリー
2023年4月10日発売！
Tearmoon Empire Story
餅月望──著
Gilse──イラスト
ただ、一目会いたいと思ったのです
3人の少女が、過去（フコウ）
ドラマCD第2弾同日発売！
予約受付中！詳しくは公式HPへ！

（宝島社刊）
『このライトノベルがすごい！2023』
単行本・ノベルズ部門
第1位
殿堂入り
詳しくは原作公式HPへ
tobooks.jp/booklove

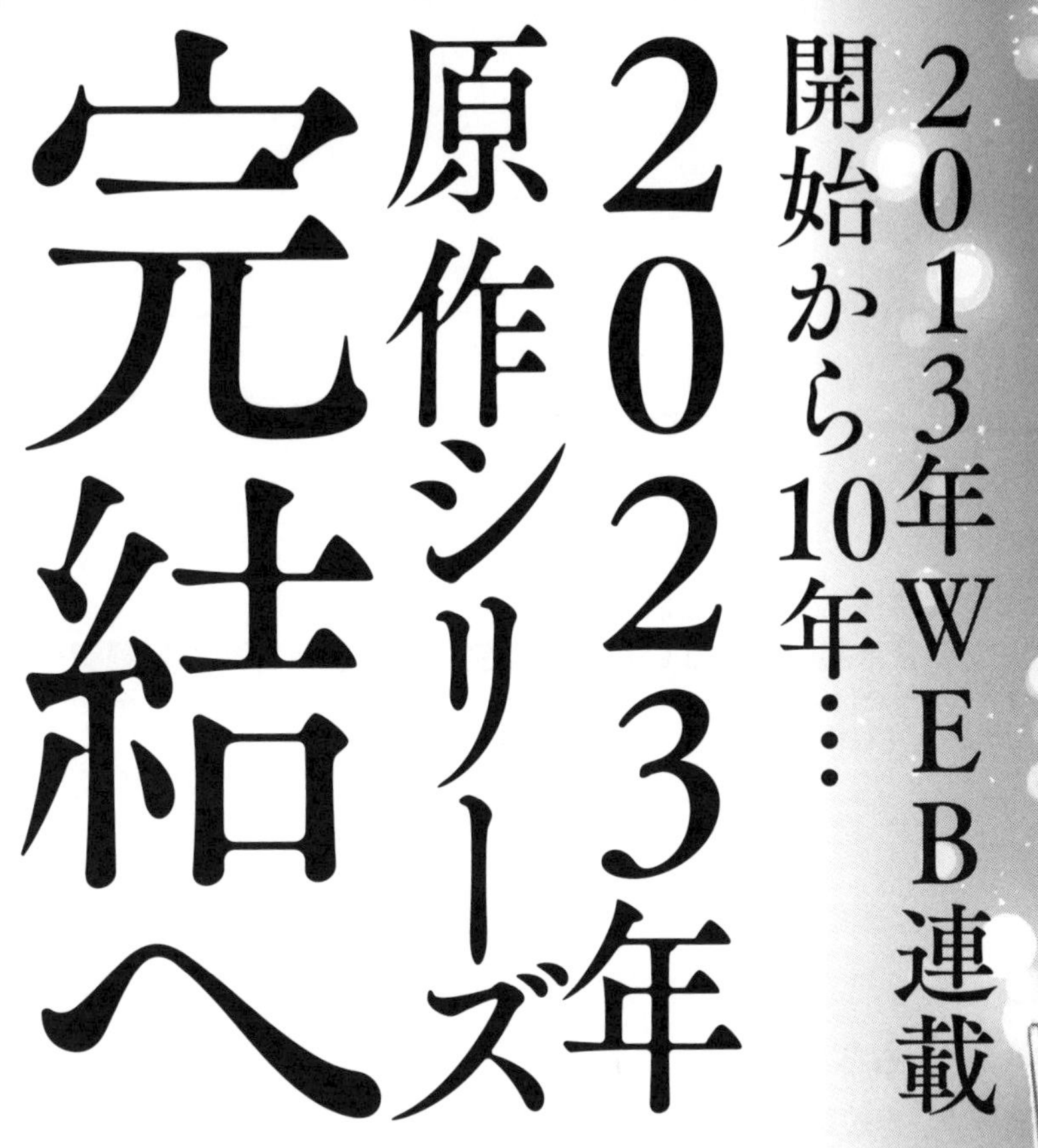
2013年WEB連載
開始から10年…
2023年
原作シリーズ
完結へ

氷の侯爵様に甘やかされたいっ！4
～シリアス展開しかない幼女に転生してしまった私の奮闘記～

2023年4月1日　第1刷発行

著　者　もちだもちこ

編集協力　株式会社MARCOT

発行者　本田武市

発行所　TOブックス
〒150-0002
東京都渋谷区渋谷三丁目1番1号　PMO渋谷Ⅱ　11階
TEL 0120-933-772（営業フリーダイヤル）
FAX 050-3156-0508

印刷・製本　中央精版印刷株式会社

ISBN978-4-86699-816-9

Printed in Japan